겨울 맨발걷기

내가 만나는 모든 자연에 감사하고
내 몸안의 자연치유력을 믿고
맨발로 맨땅을 걷는 것.

이왕 걸을거면 맨발로
맨발로 걸을거면 겨울에도.

권택환 맨발학교

겨울 맨발걷기

발행 | 2023년 12월 1일
지은이 | 권택환

펴낸이 | 한건희
펴낸곳 | 주식회사 부크크
등록 | 2014.07.15 (제2014-16호)
주소 | 서울특별시 금천구 가산디지털1로 119 SK트윈타워 A동 305호
전화 | 1670-8316
이메일 | info@bookk.co.kr
홈페이지 | www.bookk.co.kr
ISBN | 979-11-410-5632-2

겨울 맨발걷기

권택환 지음

목차

들어가며   8

맨발로 맨땅을 걸으면 일어나는 일

발자극이 뇌자극이다   15

흙을 통해 면역력을 기른다   20

접지로 자유전자를 얻는다   22

본격적으로 걷기 전에   24

1부 생각보다 할만한 겨울 맨발걷기

겨울 맨발걷기를 꼭 해야 하는 이유   28

내 몸 안의 따뜻함을 돌려라   33

발이 다시 따뜻해지다니   39

더 큰 냉기에게 진다   46

도파민과 겨울 맨발걷기   49

남대문에는 남대문이 없다   54

언제부터 겨울이어서 걸을 수 없는가?   57

1단계: 생각보다 어렵지 않다   61

2단계: 오히려 차가운 땅을 찾게 된다.   66

3단계: 장수 유전자를 깨워라   69

겨울 맨발걷기 복장   73

겨울 맨발걷기 후 발씻기   78

겨울 맨발걷기는 내공 수련이다   80

겨울 맨발걷기로 뇌의 주인이 되어라   83

눈이 내리면 겨울 맨발걷기도 빛난다   86

겨울 나무의 지혜   89

다섯 번 째 계절은 꼭 맨발로 걷자   92

겨울 맨발걷기로 36.5도 체온 유지하기   97

겨울 맨발걷기는 명상의 시간이다   101

2부 생각보다 좋은 겨울 맨발걷기

대한민국 맨발학교 맨발걷기란?   106

10년 전의 예언, 10년 후의 예언   111

이제 K-맨발걷기다   116

각자의 꽃으로 세상을 아름답게   121

이왕 맨발걷기 할 거면 겨울에도   126

내 몸과 대화하는 것이 중요하다   128

움직임이 먼저다   134

걱정걷기 말고 맨발걷기 하세요   138

미소를 띠고 걷는 것이다   145

오직 감사한 마음으로 걸어라   149

거기가 바로 맨발걷기 명소이다   156

우리의 전통 수련에서 찾은 맨발걷기   160

3부 겨울 맨발걷기 도를 깨치다

도깨비, 허깨비, 참도깨비   166

사교육으로는 절대 할 수 없는 것   170

기품이 없으면 명품을 찾는다   174

너는 어디에 마음이 가니?   178

무기력에서 벗어나는 길   181

이미 내려와 있다 너에게, 마음이   184

4부 맨발걷기 체험사례

겨울 밤 맨발로 맨땅 걷기   190

여덟 살도 잘할 수 있는 겨울 낮 맨발걷기   193

열두 명의 아이들과 겨울 맨발 산행을 하다   199

오히려 여름 맨발걷기가 걱정이다   209

겨울 맨발걷기로 탈모가 치유되다   212

맨발로 겨울을 걸어나가리라   218

겨울 맨발걷기의 매혹   224

이 책을 내보내며   231

들어가며

맨발로 땅에 첫걸음을 내디딘 지 벌써 23년이 흘렀다. 다른 사람들에게도 맨발걷기를 알리기 위해 맨발걷기 공부를 시작했고, 맨발걷기를 더 깊게 이해하게 되었다.

맨발걷기에는 10단계의 공부가 있다. 첫 번째 공부는 '맨발 움직임과 뇌감각의 관계'이다. 맨발로 걸으면 뇌감각이 깨어나서 기억력과 집중력이 좋아진다. 알츠하이머 같은 무서운 병과도 거리가 멀어진다. 발과 뇌는 가장 멀리 있지만 가장 잘 연결되어 있다. 또한 맨발로 걸으면서 느낀 자극은 우리 몸의 중요한 부분을 거쳐서 뇌로 전달되기 때문에 오장육부 장기의 감각도 당연히 살아난다. 뇌가 좋아지면 우리 몸 전체가 함께 좋아진다. "맨발로 꾸준히 걸었더니 기적처럼 여기도 좋아졌어요.", "이 병도 나았어요."라며 사람들이 말하는 이유다.

두 번째는 흙이다. '흙이 더럽지 않을까? 맨발로 걷다가 발이 찔리지는 않을까?' 하는 생각으로 맨발걷기를 하면 허리가 아프다. 걱정하는 마음이 1시간 내내 내 몸에 전해진다. 용을 써서 걸으니 허리가 아플 수밖에 없다. 흙을 편안하게 바라보는 흙 공부가 매우 중요하다. 흙은 묻으면 털어내야 하는 더러운 존재가 아니다. 흙은 뭇 생명을 길러내는 어마어마한 힘을 가졌으며 흙 속에는 우리에게 유용한 박테리아가 많이 있다. 흙을 만나면 면역력이 길러진다. 흙을 충분히 공부하면 흙을 더 사랑하게 되고 맨발걷기를 더 편안하게 할 수 있게 되며 맨발걷기로 건강을 회복할 수 있게 된다.

세 번째는 어싱(earthing)이다. 어싱과 맨발걷기를 동의어로 생각하는 사람들이 많다. 어싱은 맨발걷기를 하는 중요한 하나의 이유이지만 전부는 아니다. 맨발로 걸으면 좌우의 발자극으로 뇌감각이 균형적으로 깨어나고, 흙을 만나서 면역력도 길러진다. 그리고 어싱, 즉 접지가 되어 땅속의 음이온이 내 몸에 들어와 활성산소를 없애준다. 땅속에 있는 우주의 음이온을 맨발로 받아들여 작은 우주인 내 몸의 건강을 회복하는 일이 바로 어싱이다. 어싱에 걷기가 더해지면 맨발걷기가 된다. 걷지 않으면 뇌감각이 깨어나지 않는다.

네 번째는 겨울 맨발걷기이다. 겨울 맨발걷기를 이해하려면 우리 몸의 온기와 냉기를 공부해야 하고, 온기, 냉기가 어떻게 움직이는지, 기(氣)의 이동, 즉 운기(運氣)를 알아야 한다. 운기를 알면 기의 흐름을 방해하여 많은 병의 원인이 되는 몸속 냉기를 어떻게 몸 밖으로 빼내는지 알게 된다. 겨울 맨발걷기를 통해 땅과 사람의 몸은 떨어져 있지 않고 유기적으로 연결되어 있음을 이해하게 된다.

나의 오랜 친구는 청년 시절 군대에서 생긴 동상 후유증을 한해의 올바른 겨울 맨발걷기로 완치하였다. 믿기 어렵겠지만 사실이다. 여름에 맨발걷기를 아무리 열심히 해도 30년 묵은 동상 후유증을 치유하기 어렵지만 겨울 맨발걷기는 가능하다. 겨울 맨발걷기를 통해 자연의 차가움으로 몸속의 차가움을 몰아내고 건강을 회복할 수 있다. 얼른 이해하기 어렵다. 이 책을 읽으면 겨울 맨발걷기의 올바른 방법과 깊은 의미를 알고 두려움 없이 겨울 맨발걷기를 할 수 있게 될 것이다.

다섯 번째는 맨발걷기의 명현반응이다. 맨발걷기를 하다 보면 다양한 명현반응이 나타난다. 발바닥에 물집이 생기기도 하고 피부에 발진이 일어나기도 하고 발등이 아프기도 하다. 명현반응을 이해하고 설명하려면 우리 몸의 맥락과 경락을 이해해야 한다.

여섯 번째에서 열 번째 공부는 아직 세상에 이야기를 펼칠 때가 아니다. 후속작을 기대해 주길 바란다.

20여 년 전 나는 기공수련을 기반으로 하는 태권도 고수와 1월 1일 0시, 강화도 마니산 겨울 맨발걷기에 참여하게 되었다. 맨발걷기 고수들의 모임이 있다는 것도 그때 알았다. 처음에는 발이 떨어져 나가는 것 같았지만 앞서가는 분들을 믿고 안내대로 걸었다. 영하의 날씨에 차가운 땅을 2시간 넘게 걸었지만 발은 얼지 않았고 머리는 맑고 개운해졌다. '이건 뭐지?' 놀라운 경험이었다. 그 후 나는 봄, 여름, 가을, 겨울 변함없이 맨발로 걷고 있다. 한 번도 동상에 걸린 적이 없고 여전히 겨울이면 별로 힘들이지 않고 눈 위를 한 시간씩 걷는다.

강화도 겨울 맨발걷기를 가르쳐 주신 그때의 그분은 지금도 여전히 나에게 가르침을 주신다. 나는 그분으로부터 '겸손한 맨발걷기', '자연과 하나 되는 맨발걷기', '내 몸의 주인이 되는 맨발걷기'를 배웠고 실천하고 있다. 세상에 드러내지 않고 맨발걷기의 깊은 도를 실천하고 계시는 그분이 자랑스럽고 감사하다. 훌륭한 배움이 없었다면 어쩌면 지금까지도 겨울 맨발걷기는 제대로 할 수 없었을 것이다.

나는 그분께 배운 내 몸의 주인이 되고 자연과 하나 되는 겸손한 맨발걷기를 온몸으로 실천하고 널리 알리고 있다. 대한민국 맨발학교는 지난 10년 동안 회비도 없고, 접지제품을 팔지 않으며 맨발걷기를 실천하고 있다. 꾸준히 맨발걷기 100일을 실천하면 100일 상장을 주고 1000일, 2000일, 3000일, 10년을 달성하면 축하와 격려의 기념 배지도 준다. 물론 돈을 받지 않는다. 가장 귀한 것을 그냥 내어 놓는 자연의 마음으로, 대가 없이 맨발걷기의 비법을 알려주신 그분의 가르침대로 내가 받은 선물인 맨발걷기의 기적을 세상에 전하고 있다. 맨발학교는 평화롭고 건강한 세상을 함께 일구어 가기를 꿈꾼다. 종교와 이념을 넘어, 부와 가난을 넘어, 모두가 건강하고 행복한 삶을 영위하는데 맨발걷기가 작은 디딤돌이 되었으면 하는 바람이다.

10년 전만 하더라도 맨발걷기를 하는 사람은 거의 없었다. 최근에는 흙길마다 맨발로 걷는 사람들이 넘쳐난다. 그분들이 맞이할 겨울 맨발걷기를 걱정하지 않을 수 없다. 이 책은 맨발걷기를 꾸준히 하고 있는 사람이 겨울 맨발걷기 앞에서 머뭇거리지 않고 겨울 맨발걷기의 깊은 의미를 알고 꾸준히 실천할 수 있도록 도움을 주고자 준비한 책이다. 맨발걷기 초보자들에게는 『맨발학교 권택환의 맨발혁명』을 먼저 읽기를 권한다.

맨발로 걷고 있으면 의아해하며 쳐다보는 시선들이 '맨발로 걸으면 좋다던데…' 하며 지나갈 정도로 바뀌었다. 아마도 몇 년 지나면 영하의 날씨에 맨발로 걷는 것이 이상하지 않고 자연스러워질 세상이 올 것이다. 이 책이 그 변화에 기여할 수 있으리라 희망한다. 겨울 맨발걷기가 도를 깨친 도깨비에서 높은 도를 깨친 참도깨비로 당신을 이끌어 줄 것이다.

2023년 12월 1일
성모솔숲마을성당에서
권택환

맨발로 맨땅을 걸으면 일어나는 일

　세상에는 많은 맨발걷기 이론이 있지만 맨발걷기의 핵심은 뇌감각을 깨우는 것이다. 맨발걷기를 하면 가장 덕보는 곳은 '뇌'다. 인간은 뇌과학이 발달하면서 발과 뇌는 밀접한 관련이 있음을 알게 되었다. 앞선 나의 책 『맨발학교 권택환의 맨발혁명』에서 맨발걷기의 방법과 유의점, 효능 등에 대해 충분히 밝혔지만 맨발걷기의 가장 핵심 이론 부분만 다시 한번 정리해보고자 한다.

발자극이 뇌자극이다

영유아기에는 손자극 놀이를 많이 하게 한다. 손바닥 자극을 통해 아이의 감각을 깨우고 인지 발달에 도움을 주기 위함이다. 그래서 손자극 장난감이나 교구도 많이 나온다. 첫돌이 되기 전 아이들과 잼잼 놀이를 하면서 손을 폈다 오므렸다 하는 연습을 하기도 한다.

손바닥 못지않게 중요한 것이 발바닥이다. 발바닥의 자극은 오장육부와 연결되고 뇌자극과 연결된다. 발자극은 곧 뇌자극이다. 양말과 신발을 벗고 맨발로 맨땅을 걸으면 발바닥이 더 자극된다. 발바닥에도 손 못지않게 감각수용체가 발달되어 있음은 널리 알려진 사실이다.

발바닥 자극이 뇌 감각을 깨운다.

맨발걷기를 처음 경험한 사람들은 제각각 시원하다, 따끔따끔하다 등 다양한 느낌을 받는다고 말한다. 맨발걷기는 발바닥 감각을 자극하여 뇌 감각이 깨어나도록 도와준다. 발과 뇌의 교류감각이 활발해져 뇌 기능이 촉진된다. 한 연구에 따르면 발바닥의 감각 정보(지압, 땅의 온도, 땅의 습도)가 뇌로 올라가는 속도는 다른 신체 부위의 감각 정보가 뇌로 올라가는 속도보다 수십 배 더 빠르다고 한다. 발과 뇌는 몸에서 서로 멀리 떨어져 있지만 사실은 가장 가깝게 연결되어 있다. 뇌를 잘 쓰려면 무엇보다 뇌 감각을 깨워야 한다. 뇌를 자극하려고 두개골을 열 수는 없다. 맨발로 걸으면 뇌감각이 저절로 깨어나고, 특히 발가락 끝에 가해지는 자극은 더 깊은 뇌자극을 일으킨다. 발바닥 자극으로 기억력과 암기력이 개선되고 치매 예방에도 큰 도움이 된다. 뇌 감각뿐 아니라 몸의 균형감각도 좋아진다.

맨발로 걸으면 뇌가 유연해진다.

맨발걷기를 하면 일상에서 잘 쓰지 않던 근육을 쓰면서 뇌에는 새로운 회로가 만들어진다. 경험해보지 못한 발바닥의 새로운 자극으로 뇌가 유연해진다. 실제로 맨발걷기를 하다 보면 고정관념에 갇혀 풀리지 않던 문제의 새로운 해결책이 떠오르기도 한다. 위인전기를 읽다 보면 맨발로 걷다가 아이디어가 떠올라 문제를 해결하였다는 이야기가 매우 많다.

뇌가 정화되어 행복감을 느낀다.

에스키모인은 화가 나거나 분노가 일어나면 무작정 걷는다고 한다. 걷다가 화가 풀리면 그 지점에 막대기를 꽂아두고 돌아온다. 어느 날 또 분노가 일어나면 다시 같은 곳에서 걷는다. 만약 예전에 꽂아둔 막대기를 보기 전에 화가 가라앉았다면 자신의 상태가 예전보다 더 좋아졌다고 생각한다고 한다.

실제로 화가 났을 때 무작정 걷다 보면 화도 풀리고 피해 의식도 없어진다. 뇌 속에 쌓인 부정적인 정보가 씻겨 나간다. 뇌가 정화되면서 자신을 바라보는 힘이 길러지고 긍정적인 것을 선택하는 힘이 길러진다. 맨발로 걸으면 신발을 신었을 때보다 혈액의 흐름이 좋아져 뇌에 전달되는 산소량도 증가되어 뇌의 정화가 더 빨리 이루어진다. 척추 안의 척수액 흐름이 활발해져 뇌 속에서 세로토닌이 더 많이 분비된다. 맨발로 걸으면 행복감을 더 느끼는 이유이다.

왼발, 오른발의 균형적인 자극으로
좌, 우뇌가 통합된다.

장갑 끼고 글을 쓰거나 컴퓨터 작업을 하는 사람은 없다. 손은 늘 공기 중에 노출되어 있지만 발은 양말과 신발 속에 꽁꽁 묶여 있다. 신발은 깁스와 같다. 발의 뼈와 관절을 움직이지 못하게 한다. 발바닥에 전해지는 순수한 자극이 뇌로 잘 전달되지 못한다. 맨발로 걷다 보면 왼쪽 발바닥과 오른쪽 발바닥이 공평하게 자극을 받는다. 뇌로 전달된 좌·우 발바닥의 균형적인 자극은 뇌를 조화롭고 균형 있는 상태로 만든다. 좌·우뇌의 균형이 이루어지면 새로운 아이디어와 창의력이 더 샘솟는다. 무한한 잠재력이 깨어난다.

자신감이 생기고 나의 몸과 뇌의 주인이 된다

맨발걷기를 꾸준히 하다 보면 자신감이 생긴다. 어제 한 사람은 오늘 할 수 있고, 오늘 한 사람은 내일 할 수 있다. 봄에 한 사람은 여름에 할 수 있고, 여름에 한 사람은 가을에 할 수 있고, 가을에 한 사람은 겨울에 할 수 있다. 예전에는 더럽다고, 차갑다고 못하였는데 내가 가지고 있던 정보의 틀에서 벗어난 자신을 만날 수 있다. 꾸준히 맨발걷기를 하면 어느덧 내가 나의 몸과 뇌의 주인이 되어있다. 몸과 뇌의 주인이 되면 삶의 목적을 알고 자신의 인생을 디자인하는 힘이 생긴다.

뇌과학이 발달하면서 움직임이 있어야 뇌가 발달한다는 것을 알게 되었다. 가만히 누워있으면 근육만 줄어드는 줄 알았지만 뇌기능까지 저하된다. 노화가 일어나면서 뇌기능이 저하되는데 부지런히 걷기를 한 사람은 장기 기억을 담당하는 해마의 부피가 상대적으로 덜 줄어들어 기억력이 개선되고 알츠하이머 병에 걸릴 위험이 줄어든다고 알려져 있다. 그냥 걷기만 해도 이러한 효과를 누릴 수 있는데 맨발로 걸으면 어떨까? 맨발로 걸으면서 뒤꿈치를 들고 걸어보거나 가볍게 걷기, 빨리 걷기, 천천히 걷기 등 다양한 방법으로 걸으면 다양한 발바닥 자극과 뇌자극이 추가로 더 이루어진다.

흙을 통해 면역력을 기른다

호모 사피엔스는 오랜 세월 흙 위에서 살았고 흙에서 나는 것을 먹으며 살아왔다. 현대 인류는 도시 문명의 발달로 흙과 멀어지면서 면역력과 관련된 여러 가지 질병에 오히려 더 쉽게 노출되어 있다. 흙은 더럽다고 생각하고 몸에 흙이 조금이라도 묻으면 놀란 듯이 털어낸다. 하지만 우리는 흙을 통해 다양한 세균과 접한다. 우리의 면역계는 다양한 세균과 접촉하며 유용한 세균을 가려내는 학습을 한다. 그렇지 못한 면역계는 외부 자극에 민감하게 반응하여 아토피, 천식 등의 질환을 종종 야기한다. 그래서 어릴 때부터 흙을 갖고 놀았던 아이가 아토피에 걸리는 경우는 잘 없다. 다양한 세균에 적당히 노출된 사람이 오히려 알레르기성 질환에 더 안전하다. 따라서 흙을 만나는 일은 중요하다. 손으로 만나든 발로 만나든 상관없다. 흙장난을 해도 되고, 마당의 풀을 뽑아도 되고, 땅에 꽃과 나무를 심어도 된다. 해변가 모래찜질처럼 온몸으로 만나도 좋다. 등산도 좋다. 등산할 때는 코로 흙을 만난다. 눈에는 안 보이지만 미세한 흙 알갱이가 코로 들어온다.

맨발걷기를 권할 때 자주 듣는 말 중에 하나가 "흙은 더럽지 않나요?"이다. 흙은 더럽지도 위험하지도 않다. 흙에 대한 생각을 바꾸어야 한다. 자연 속에서 인간과 흙은 자연스럽게 공존하며 살아왔다. 바람이 불며 공기가 순환하고, 비가 먼지를 씻기고, 햇빛이 소독해 준다. 볕 좋은 날 말린 뽀송뽀송하고 상쾌한 이불처럼 흙도 그렇게 씻기고 말려진다. 다소 오염된 물이라도 강이 되어 흘러가면서 수초와 햇살과 바람에 정화되는 것처럼 말이다. 오히려 안심하고 놀고 있는 각종 실내 공간의 안전성을 걱정해야 한다. 아이들과 흙에서 충분히 머무르고, 함께 노는 시간을 늘려 나가자. 바깥활동을 하고나서 깨끗이 씻으면 된다.

접지로 자유전자를 얻는다

만병의 근원이라는 활성산소는 맨발걷기를 하면 자연스럽게 없어진다. 맨발걷기를 꼭 해야 할 이유다. 맨발을 땅에 갖다 대는 접지(earthing, 어싱)를 하는 순간 땅속 자유 전자(自由電子)가 들어와 체내의 양전하를 띤 활성산소를 중화시켜 준다. 활성산소가 들어오면 우리 몸은 그것을 중화시키는 능력이 있다. 자연치유력이다. 하지만 나이가 들면 몸의 항산화 시스템이 젊었을 때처럼 작동하지 않아 산화되기 쉽다. 넘쳐나는 활성산소를 배출해야 한다. 맨발로 땅을 밟으면 몸속의 활성산소가 땅속의 자유전자와 만나서 줄어든다. 번개 등의 자연환경이 만들어준 천연의 자유전자와 배터리 속의 인위적인 자유전자는 다르다. 땅속의 자유전자는 그야말로 자연이 주는 항산화 식품이다. 자연의 선물인 자유전자를 받으려면 맨발로 땅을 찾아야 한다. 맨발만은 아니다. 맨 손, 맨몸도 가능하다. 하지만 발바닥으로 흙을 만나기가 제일 쉽다. 자유전자를 만나는 접지를 통해 우리 몸에 들어와 엉켜 있던 적혈구를 하나하나 떨어뜨려 혈액의 점도를 낮추어 심혈관계 질환을 개선시켜주기도 한다. 당연히 세포 재생도 빠르게 이루어진다. 발목 통증, 무릎 통증이 있을 때 맨땅과 접지하면 염증이 개선되는 효과를 볼 수 있다.

호리 야스노리의 『모든 병은 몸속 정전기가 원인이다』라는 책이 있다. 책 제목이 모든 병은 몸속 정전기가 원인이라고 대놓고 이야기한다. 이 책에서는 신경세포 손상, 끈적한 혈액, 좁아진 혈관, 암세포 생성, 뇌기능 저하, 심근경색, 불면증, 인슐린 분비 감소, 탈모, 아토피 피부염 등 많은 병이 체내에 쌓인 정전기와 관련이 있다고 한다. 그렇다면 몸속의 정전기는 반드시 줄여야 한다. 맨발로 걷는 방법이 아주 쉽고 좋은 방법이다. 맨발걷기를 꾸준히 하면 몸속의 정전기가 제거되어 겨울철에 정전기 스파크가 일어나는 것이 줄어드는 것을 쉽게 경험할 수 있다.

본격적으로 걷기 전에

맨발걷기의 효능에 대해 정리하여 보았다. 맨발걷기에서 가장 중요한 것을 지금부터 다시 한번 강조하고자 한다. 이렇게 몸에 좋은 맨발걷기니까 오늘부터 열심히 해보겠어라고 굳게 다짐하고 어금니 깨물고 열심히 하면 안된다. 그렇게 하면 부담스럽다. 마음이 부담스러우면 몸도 부담스럽다. 운동을 하는 시간, 그 자체가 우선 즐겁고 좋아야 한다. 힘들게 하는 운동은 운동의 효과가 있음에도 잃는 것이 많다. 운동하는 시간이 힘들고 싫으면 스트레스가 함께 생긴다. 운동을 하는 시간이 행복해야 행복호르몬이 나온다. 맨발걷기도 마찬가지다. 즐겁게 하려면 감사한 마음으로 해야 하는 것이 먼저다. 맨발로 맨땅을 밟는 것이 맨발걷기이지만 땅만 바라봐서는 안된다. 맨발로 걷는 동안 숲의 새소리도 듣고 하늘도 자주 바라봐야 한다. 여유 있는 마음이 필요하다. 하늘에 감사하고 우주 만물에 감사하고 내 안의 자연치유력에도 감사해야 한다. 감사함을 담아 맨발로 걸으면서 천천히 숨을 내 쉬고 들이쉰다. 그 순간 우리 몸에는 공기만 들어오는 것이 아니다. 폐로 숨을 쉬면 공기를 통해, 생기(生氣) 즉 생명의 에너지가 함께 들어온다. 그 생명의 에너지로 우리는 건강을 창조하고 생명을 유지할 수 있다. 그래서 숨을 쉬지 않으면 곧 죽게 된다. 숨은 생명 에너지이기 때문이다. 맨발걷기는 발을 맨땅에 닿으며 걷는 단순한 행위이지만 맨발걷기를 통해 우리는 지구의 생명력과 소통한다. 단순한 발자극을 넘어서 우주의 생명 에너지를 받아들이는 소중한 시간이다.

1부
생각보다 할만한
겨울 맨발걷기

겨울 맨발걷기를 꼭 해야 하는 이유

맨발걷기가 몸에 좋다는 정보를 듣고 맨발걷기를 실천하는 사람들이 눈에 띄게 많아졌다. 동네 공원의 흙길이나 근처 학교 운동장에 가보면 맨발걷기하는 사람을 많이 만난다. 추위가 오고 겨울이 오면 이 사람들은 꾸준히 맨발걷기를 하게 될까? 맨발걷기의 효능을 알고 꾸준히 실천하려고 마음먹지만 추위 앞에서 약해져버리지는 않을까? 많은 이들이 '겨울은 쉬고 내년 봄에 다시 시작해야지.' 쉽게 결정해 버린다. 우리 몸의 변화는 꾸준함이 필요하다. 큰 뜻을 가지고 맨발걷기를 시작했는데 겨울 맨발걷기를 할 수 없으면 12월, 1월, 2월, 적어도 3개월을 쉬게 된다. 길게는 찬 기운이 도는 11월부터 꽃샘추위가 잦은 3월까지 맨발걷기를 중단한다. 생각을 바꾸자. 오히려 날씨가 추워지면 겨울 맨발걷기를 할 수 있는 기회가 왔다고 생각하자. 지금 이 글을 읽고 있는 분들은 봄, 여름, 가을과는 다른 겨울 맨발걷기만의 장점을 누릴 수 있는 행운을 얻었다. '어떻게 겨울을 이겨내지?'에서 '아, 드디어 겨울 맨발걷기를 할 수 있게 되어 기쁘다.'로 생각이 바뀔 수 있도록 도와 드리고 싶다.

첫째, 겨울 맨발걷기는 아주 좋은 명상의 시간이다. 차디찬 겨울밤 맨발로 걸으면 생각이 정리되고 머리가 맑아진다.

둘째, 스스로 선택한 최선의 고통을 이겨내는 기쁨이 있다. 겨울 맨발걷기를 쉽게 하는 방법을 알려주고 주의사항을 자세히 설명하겠지만 그래도 겨울 맨발걷기는 발 시림을 참아내야 하는 순간이 있다. 그러나 그 순간은 강제로 오지 않고 나의 선택으로 만난다. 내가 의도하여 만나는 고통, 즉 스트레스가 내가 극복할 만큼의 크기 일 때 우리는 성장할 수 있다. 발이 시릴 줄 알면서 맨발걷기를 하고 스스로 선택한 어려운 과제를 해결한 기쁨을 온몸으로 느낄 수 있다.

이겨낼 만한 고난을 참아내고 극복하면 나에게 힘이 생긴다. 에어컨으로 여름을 제대로 맛보지 못하고 땡볕에 놀아보지도 않고 맞이한 겨울에는 독감이 유행하면 독감에 걸리기 쉽다. 겨울의 추위를 온몸으로 겪어보지 못하고 따뜻한 실내에서 생활하면 다음 해 여름이 조금만 더워도 참아내 지지 않는다. 겨울 맨발걷기는 스스로 선택한 단식과 같다. 형편이 안되어 어쩔 수 없이 굶는 것과 선택한 배고픔은 다르다. 단식을 통해 우리 몸은 새롭게 정비되고 다시 시작할 수 있다. 마찬가지로 극한의 추위 앞에서 내 안의 자연치유력을 믿고 걷는다. 따뜻한 방을 떠나 보온이 잘 되는 신발을 벗어던지고 맨발로 겨울을 만난다. 우리 몸은 쉽게 좌절하거나 절망하지 않는다. 우리가 선택한 고난을 이겨내는 힘을 말없이 끄집어낸다. 장수유전자가 이때 깨어난다.

셋째, 겨울 맨발걷기는 우리 몸의 냉기를 몰아낼 수 있는 절호의 기회이다. 우리 몸에는 냉기가 숨어 있다. 냉기는 병의 근원이 되기도 하고 그 자체로 병이기도 하다. 수족냉증, 동상 같은 병의 증세일 수도 있고 무릎이나 발목이 시린 증상으로 나타나기도 한다. 우리 몸속의 냉기는 겨울 맨발걷기로 빼낼 수 있다.

넷째, 겨울 맨발걷기는 내가 선택한 일이어서 당당한 마음의 힘이 길러진다. 맨발걷기를 실천하는 사람이 많이 늘

어났다고는 하지만 아직도 신발과 양말을 벗고 맨발로 걷는 행위를 낯설게 보는 눈길이 많다. 더군다나 겨울에는 "영하의 날씨에 맨발로 걷다니" 하며 놀라기도 하고 참 별나기도 하다는 눈빛도 많다. 운동화 신고 운동해도 충분한데 왜 저러냐며 쑥덕거리는 소리를 듣기도 한다. 주변의 따뜻하지 않은 시선을 이겨내고 겨울 맨발걷기를 꾸준히 실천하면 내가 선택한 일에 당당해지는 마음의 힘이 길러진다. 남들이 뭐라 해도 내 갈길을 묵묵히 갈 수 있는 힘이 생기는 것, 겨울 맨발걷기의 또 다른 기쁨이다.

다섯째, 겨울 맨발걷기는 기도이다. 특히나 한 겨울, 늦은 밤, 운동장에서의 맨발걷기는 더 그렇다. 이 세상에 유일한 존재로서의 나를 돌아보고 자연 앞에서 겸허한 마음이 된다. 매일 밤, 겨울 맨발걷기는 나만의 기도시간이다. 나를 소중히 여기고 내 몸을 소중히 여기며 감사의 마음을 자연과 나누는 시간이다.

겨울 맨발걷기만이 가지는 매력을 소개해보았다. 이제 본격적으로 겨울 맨발걷기 여행을 떠나면 된다. 발바닥이 차갑다가 따뜻해지는 신비의 체험을 하고 나면 한겨울 영하의 날씨에도 쉽게 할 수 있다. 첫발을 내디디고 발이 시리다고 종종걸음을 친 초보자도 자신감을 가진다. 발이 시릴까, 동상에 걸리지 않을까, 걱정을 잠시 내려놓고 해 보면 된다. 실행하는 데는 이유가 없다. 그냥 시작해 보는 거다. 머뭇거리지 않고 용기 내어 시작할 수 있도록 이 책이 안내해 줄 것이다.

"이제 발이 별로 시리지 않아요. 시간이 지나면 점점 더 차가워져서 못 걸을 줄 알았는데 오히려 조금 따뜻해진 느낌이에요."

시간이 갈수록 발바닥이 더 차갑고 꽁꽁 얼어야 하는데, 어느 정도 시간이 지나면 발가락과 발바닥이 다시 따뜻해진다. 이 경험을 해본 사람들은 겨울 맨발걷기의 매력에 푹 빠진다. 겨울 맨발걷기의 지혜를 익혀 안전하게 실천하면 모두가 겨울 맨발걷기의 신비를 만날 수 있다.

약은 쓰다. 쓴 약이 몸을 살린다. 겨울 맨발걷기는 발이 시리다. 힘이 든다. 용기가 필요하다. 시린 발을 이겨내고 하는 겨울 맨발걷기는 쓴 약과 같다. 우리 몸을 살린다. 달기만 한 약이 몸에 좋을 리가 없다. 힘들지 않으면서 우리 몸을 살릴 수가 없다. 세상에 공짜는 없다.

내 몸 안의 따뜻함을 돌려라

나는 메마른 땅보다 촉촉한 땅을 맨발로 걸으면 효과가 3배, 차가운 땅을 맨발로 걸으면 효과가 10배라고 사람들에게 자주 말한다. 3배, 10배라는 말은 과학적 근거에 의한 정확한 수치가 아니고 비 온 뒤의 맨발걷기와 겨울 맨발걷기의 효과가 평소보다 어마어마하게 큼을 알리고자 함이다. 23년을 꾸준히 맨발로 걷고 2만 명이 넘는 사람들에게 '맨발걷기 100일 상'을 주었다. 1000일, 2000일, 3000일을 한 회원들도 늘어나면서 크고 작은 병으로부터 벗어나는 사람들과의 깊은 대화를 통해 얻은 통찰력이라고 할 수 있다. 맛난 된장국을 끓이는 할머니의 요리는 할머니가 정확한 양을 계량해서 정확한 온도와 시간으로 만들어지는 것이 아니다. 할머니가 된장독에서 퍼내는 된장의 양은 할머니의 된장국에 가장 적절한 양이고 할머니가 한소끔 김이 난 후 불을 끄면 그때가 알맞은 때이다. 우린 그것을 손맛이라고 부른다. 수십 년의 경험과 숱한 실패가

녹아 있는 맛이다. 맨발걷기에 대한 여러 가지 질문에 지혜로운 답을 할 수 있는 것은 할머니가 수 십 년의 경험으로 맛난 음식을 만들어 내는 것과 같은 이치이다. 지금 당장 과학적으로 설명할 수 없다고 가치 없다고 여기는 건 성급한 판단이다.

"촉촉한 땅을 걸으면 더 기분이 좋아요. 보슬비 올 때 우산 쓰고 걸어도 기분이 좋아요. 땅이 젖어 있으면 땅 속의 음이온이 우리 몸에 더 많이 유입되어 몸속의 활성산소가 더 빨리 줄어들기 때문이에요." 이 정도 이론 공부는 이제 맨발걷기 하는 사람은 모두가 아는 상식이 되었다. 실제로 몸으로 체험하여 느끼는 것과 머리로 배운 이론이 딱 맞아떨어져서 비 올 때 맨발걷기 효과가 3배라는 것은 별로 의문이 없다. 그런데 겨울 맨발걷기는 설명이 쉽지 않다.

"우리 몸에 냉기(冷氣)가 들어오면 안 좋다는데 겨울에 맨발걷기 하면 냉기가 몸에 들어오지 않나요?"

"머리는 차게, 발은 따뜻하게 하라고 하는데 겨울에 맨발걷기를 해도 되나요?"

"겨울 맨발걷기를 하면 이상하게 머리도 상쾌하고 몸도 좋아지는 데 왜 그럴까요? 이유를 모르겠어요."

나도 초기에는 이 질문에 답을 하지 못한 채 겨울 맨발 걷기를 하였다. 겨울 맨발걷기를 하면 할수록 그 효과의 정확한 이유가 궁금하였다. 몸은 점점 더 좋아지는데, 명확하게 답을 할 수가 없음이 안타까웠다. 몇 번의 겨울을 이렇게 보냈다. 초창기 때 나와 함께 걸은 동료들도 정확한 이유를 설명할 수 없었지만 몸의 컨디션이 놀라울 만큼 더 좋아지니 그냥 같이 걸었다. 여름보다 겨울 맨발걷기로 훨씬 빠른 효과를 본 친구들이 많았다.

겨울 맨발걷기는 왜 강력한 힘을 가졌을까? 발이 시린 맨땅을 맨발로 걷는데도 동상이 걸리지 않을까? 질문의 답은 어떤 책에서도, 어떤 연구 논문에서도 찾을 수가 없었다.

어느 날 하늘의 도움으로 나는 답을 찾았다. 우리 민족 역사의 산 현장인 강화도 마니산에서 몇 년간의 긴 궁금함이 풀렸다. 해마다 1월 1일 0시가 되면 우리나라에서 가장 기운이 좋다는 곳, 강화도 마니산을 맨발로 걸어가서 참성단 아래서 수련을 하는 태권도 고수들이 내 질문의 답을 가지고 있었다. 태권도 고수 중에도 우리나라 전통 선도사상을 기반으로 기(氣)와 뇌(腦)의 원리를 터득한 단(

舟) 태권도 고수분들이었다. 단태권도 고수 한 분이 내가 근무하는 교육부에 직장교육 강사로 오셨다. 중앙부처는 업무가 많고 스트레스가 많은 곳이다 보니 교육부에서 직원들의 건강을 위해 제공하는 각 분야 전문가 초청 강연이 있었는데 그분이 교육부에 오신 것이다. 그분이 강의 중 맨발걷기를 하라면서 맨발로 땅을 밟으면 작은 병은 쉽게 개선된다고 하셨다. 나도 그때 흙 공부, 발감각과 뇌감각, 접지 등의 공부를 하고 있었던 터라 맨발걷기에 대해 조금 알고 있었는데 강의를 듣고 보니 내가 공부한 수준과는 차원이 달랐다. 나의 궁금증은 이때부터 실마리를 찾기 시작하였다.

얼마 뒤 그분께 연락을 드려 맨발걷기에 관한 공부를 하게 되었다. 그 인연으로 나도 1월 1일 0시의 강화도 마니산 맨발걷기를 단태권도 고수들과 함께 하게 되었다. 나도 그전에 겨울 맨발걷기를 해 보았지만 그날은 차원이 다른 맨발걷기였다. 겨울에도 한낮의 맨발걷기는 별 어려움이 없다. 바람이 없고 따뜻한 날은 겨울이라도 쉽다. 이런 날은 누구나 겨울맨발을 즐길 수 있다. 초저녁 차가운 학교 운동장 정도의 맨발걷기는 나도 여러 번 해 보았지만 1월

1일 캄캄한 0시, 눈이 중간중간 덮여있는 얼음 같은 겨울 맨발걷기는 처음이었다. 그때의 그 두려움은 아직도 기억이 난다. 그래서 처음 겨울 맨발걷기를 하는 사람들의 마음이 어떠한지 나는 잘 알고 있다. 당연히 두려움이 일어난다. 나는 그날 새로운 세상을 만났고 동상 없이 잘 마무리되었다. 20년이 지난 지금도 나는 그 분과 가끔 겨울 맨발걷기를 즐기고 있다. 그분은 70대의 연세이지만 늘 청년의 모습으로 지금도 겨울 맨발걷기를 하고 계신다.

그때 나는 우리 몸의 냉기(冷氣)와 온기(溫氣)의 이동에 대한 이야기를 처음 들었다. 기(氣)에는 온기와 냉기가 있다. 냉기는 무엇인지, 냉기는 왜 생기는지, 냉기를 어떻게 하면 몸 밖으로 빼내는지 배웠다. 그리고 우리 몸 안에 있는 온기를 발바닥으로 내리는 운기(運氣)를 어떻게 하는지도 배웠는데, 기(氣)를 운전하는 "운기"는 난생처음 듣는 생소한 이야기였다.

"기(氣)는 뭐지?"

몸으로는 아직 알 수 없지만 머리로는 알아야겠다고 생각하고 생활 속에서 자주 쓰이는 기(氣)가 들어가는 낱말부터 공부하기 시작했다. 그러면서 우리 조상들의 언어에 감탄을 하지 않을 수 없었다. 우리말공부가 나의 겨울 맨발걷기 공부의 밑거름이 되었다. 우리말이 겨울 맨발걷기와 관련이 있다니. 세상은 모든 것이 연결되어 있는 것이 틀림없다.

발이 다시 따뜻해지다니

우리가 잘 알고 있는 "머리는 차게 발은 따뜻하게"는 어떤 뜻일까? 이마에 얼음을 올려놓아서 차게 하고, 발을 아랫목에 넣어서 따뜻하게 하면 되는 걸까? 그런 의미는 아니다. 진정한 의미는 내가 내 몸의 주인이 되어 나 스스로 그러한 것을 조절할 수 있도록 하여야 한다는 뜻이다. 스트레스받고, 감정조절이 안되고, 화가 나서 욕하는 사람의 머리는 늘 열받아 있다. 열을 너무 많이 받으면 뚜껑이 열린다는 우스개 소리도 있다. 스트레스를 줄이고 명상을 하고 뇌파가 안정되면 머리는 열감이 없고 시원해진다. 나 스스로 조절이 안되면 바깥으로 나가서 시원한 바람이라도 맞으면 도움이 된다.

나는 강화도 마니산 겨울 맨발걷기를 통하여 영하의 날씨에도 발을 내 몸 안으로부터 따뜻하게 하는 신비로운 경험을 하게 되었다. 족욕처럼 따뜻한 온수나 아랫목의 온도를 빌리지 않고 찬 맨땅 위에서 걸으면서 몹시 시리고 찬 발바닥이 내 몸 안의 에너지로 다시 따뜻해지는 경험은 처음이었고 강력했다. 지금은 맨발학교에서 나의 안내를 받아 겨울 맨발걷기를 하는 많은 사람들이 이 경험을 함께하여 나의 깨달음이 많이 알려져 있지만 그때는 전기를 발명한 것과 같은 큰 기쁨이었다.

막연하게만 생각하였던 냉기, 온기가 내 몸 안에서 움직이고 그것을 내가 조정할 수 있음을 몸으로 이해하였다. 글자로서의 '냉기, 온기의 흐름'이 아니고 살아 움직이는 '운기'를 온몸으로 배웠다. 신기하지 않은가? 차가운 땅에 머무는 시간이 길면 길수록 발이 더 시려야 하는데 그렇지 않고 오히려 걸을 만하게 되다니 말이다. 그렇게 되려면 꼭 지켜야 할 규칙이 있다. 겨울 맨발걷기를 할때는 발만 차가운 땅에 맨발로 내어놓고 나머지 몸은 아주 따뜻하게 입어야 한다. 요즘은 방한복의 성능이 좋아서 쉽게 실천할 수 있다. 머리부터 발목까지 완전무장하고 밖으로 나가서 20여분을 걷게 되면 점점 발이 차가워진다. 추운 겨울을 맨발로 걸으면 발이 동상 걸릴 것 같은 순간이 온다. 대부분 20분에서 25분 정도 지나는 시점이다. 날씨에 따라 그날의 땅의 온도와 각자의 기(氣)의 흐름에 따라

약간의 시간 차이가 날 수 있다. 대부분 여기서 맨발걷기를 멈춘다. 나도 그랬다.

"이 추운데 동상에 걸리면 어쩌려고 그러나요?"

주위의 충고와 시선이 크게 느껴진다. 두려움이 커져서 맨발걷기를 멈추고 서둘러 집으로 들어온다. 겨울 맨발걷기의 실패다. 실패한 경험은 더 큰 두려움을 낳는다.

포기하고 싶은 순간, 내 몸을 믿고 조금 더 걸어본다. 5분 또 5분을 참아내고 한참을 더 걷다 보면 다시 발이 조금씩 따뜻해짐을 느낀다. 마치 꺼 놓았던 전기 스위치를 다시 켠 전기담요처럼 발이 따뜻해진다. 이제 더 이상 동상걸릴 것 같은 내 발이 아니다. 안에서부터 우러나는 열감이 발에서 느껴진다. 이때 가장 중요한 것은 유기체인 내 몸을 한 치의 의심도 없이 신뢰하는 것이다. '지금 발이 위기에 처해있어요. 빨리 도와주세요.' 내 몸의 주인은 위기 앞에서 60조 개의 세포를 총동원하여 위험에 처한 발을 도울 것이라고 굳게 믿는다. 이때 깊은 곳에서 잠자던 면역력이 꿈틀 된다. 장수 유전자가 발휘되기도 한다. 그리고 따뜻한 피는 내 발을 향해 달려간다. 몸안이 역동적으로 살아숨쉰다.

이렇게 되려면 내 몸은 내가 아니라 내 것임을 알아야한다. 내 것인 내 몸에 대한 무한 신뢰가 필요하다. 동상 걸리면 어쩌지? 이런 두려움이 없어야 한다. 그리고 만나게 될 특별한 경험은 기쁨이다. 이건 뭐지? 상식적으로 생각하면 추운 겨울날 맨땅을 걸으면 점점 발이 시려 참기 어려워야 하는데 30여분이 지나면 걸을 만해진다. 그때의 뿌듯함은 해 본 사람만이 안다. 어떤 맨발학교 회원은 발이 다시 따뜻해진 순간이 아까워 겨울 맨발걷기는 꼭 100분 이상 한다고 했다.

겨울 맨발걷기는 누가 성공하는가? 덩치 큰 사람이 아니다. 이 악물고 극기훈련하듯이 하는 사람이 아니다. 겨울에 맨발로 걸어도 동상에 걸리지 않는다는 정보를 알고 자신을 신뢰하는 사람이 성공한다. 그때 내 몸은 자신을 믿어준 그 주인을 위해 발바닥이 후끈거리면서 막힌 곳의 기를 확 뚫어주는 엄청난 경험을 선물로 준다. 차가워진 발에 빨리 피를 보내기 위해 온몸의 혈액순환이 잘 이루어지며 병의 치유에도 도움을 준다.

발이 시려 맨발걷기를 멈추고 싶을 때 할 수 있는 동작도 있다. 양팔을 쭉 펴고, 허리를 숙이고, 고개는 들고, 엉

덩이는 뒤로 쭉 내밀고 손목은 90도로 꺾고, 그 상태에서 10초간 버티다가 가볍게 살짝 몸을 '툭' 풀면 몸속의 온기가 발바닥으로 쑥 내려가는 것을 알 수 있다. 우리 몸에 열을 내게 하는 자세로 온기를 모아 재빨리 발로 보낼 수 있는 동작이다. 중간중간 이 자세를 취하면서 맨발걷기를 하면 조금 더 쉽게 겨울에도 맨발로 걸을 수 있다. 하지만 꼭 이러한 동작을 하지 않더라도 내 몸의 원리를 알면 다양한 방법으로 응용할 수 있다. 어떤 사람은 발 사이즈보다 조금 큰 헌 운동화를 신고 나가서 운동장 한편에 벗어두고 발이 몹시 시린 그 순간이 오면 운동화를 신고 운동장 몇 바퀴를 걷는다. 그때는 운동화만 신어도 천국처럼 따뜻하다. 걸을만하면 다시 운동화를 벗고 맨발로 걷는다. 이렇게 몇 번 반복하다 보면 한 겨울밤의 맨발걷기도 쉽게 가능하다.

겨울 맨발걷기는 누구나 가능하지만 올바른 정보가 없으면 절대 불가능하다. 발이 차가워지면 뇌에서 두려움이 일어난다. 뇌에서 명령이 내려온다. '그만하지 않으면 동상에 걸린다'. 당연하다. 인간은 자신이 가지고 있는 정보에 의해 결정을 하기 때문이다. 맨발이더라도 따뜻하게 옷을 입고 나가서 걸으면 25분 정도 지나면 내 몸의 열기가 발바닥으로 내려가 다시 발이 따뜻하게 된다. 이 정보를 우리의 뇌에 저장해야 한다.

몸의 원리를 모르면 그때부터는 맨발걷기가 아니고 극기훈련의 시간이 되고 결국은 극기 훈련 같은 맨발걷기로 끝을 맺는다. 운동선수들이 겨울에 상의를 탈의한 채 달리는 것은 극기훈련이다. 그 방법으로는 내 몸의 기운을 돌릴 수 없다. 겨울 맨발걷기를 극기훈련처럼, 숙제하듯이 하면 계속할 수 없다. 다음 날 나가려면 걱정과 두려움이 앞서서 지속할 수 없게 된다. 겨울 맨발걷기를 끝내고 집으로 돌아올 때 뭔가 해 냈다는 기쁨과 평화로움으로 돌아올 수 있어야 한다. 그러려면 우리 몸의 원리와 기혈의 순환을 자세히 이해하여야 한다.

"교수님, 도대체 이게 뭐지요? 이 따뜻함은 뭐지요?" 겨울 맨발걷기의 기쁨을 경험한 맨발학교 회원들로부터 수백 통의 감격의 전화를 받았다. 그래서 나는 겨울 맨발걷기를 3년 이상 하지 않고 어디 가서 맨발걷기를 다 아는 것처럼 얘기하면 안 된다고 말한다. 우리 맨발학교에서는 겨울 맨발걷기를 3번 해보지 않고는 가급적 어디 가서 맨발걷기 강의를 하지 말라고 한다. 스스로 경험하지 않으면 다양한 질문 앞에서 적절한 답을 줄 수 없다. 책을 통해 아는 것, 방송을 통해 아는 것, 유튜브를 통해 아는 것, 누구에게 들어서 아는 것은 그냥 바나나맛을 책을 통해 배운 것과 같다. 사람마다 표현이 다르고 묘사방법이 다르다. 직접 나의 감각으로 그 맛을 느끼고, 그 맛이 뇌에 저장되어 있어야 바나나 맛을 언제 어디에서도 올바르게 설명할 수 있다. 책을 보고 알게 된 것은 어찌어찌 설명은 하지만 실제 그 사람은 진짜 바나나 맛을 모르는 사람이기 때문이다.

'머리는 차게, 발은 따뜻하게'의 의미를 다시 생각해 보자. 아랫목처럼 외부의 힘이 아닌 내 안의 힘으로 발이 따뜻해지는 순간이 더 좋지 않을까? 에어컨 덕분에 시원해진 머리가 아니라 냉정한 판단과 온화한 마음으로 이루어낸 찬 머리가 의미 있지 않을까?

겨울이 오기를 기다리자. 바나나의 참 맛을 알고 바나나의 맛을 이야기할 수 있게 된다.

더 큰 냉기에게 진다

영하의 겨울밤, 발바닥으로 느끼는 냉기는 내 몸 안의 냉기와는 비교할 수 없을 정도로 세고 크다. 그 커다란 위기 앞에서 우리 몸속 여기저기, 특히 관절에 숨어 있던 냉기가 출동해야 한다. 우리 몸의 냉기는 겨울 땅의 차가운 냉기가 우리 몸에 들어오는 것을 막기 위해서 몸 밖으로 나간다. 그래서 30년 묵은 동상 후유증도 겨울 맨발걷기로 나을 수 있는 것이다. 아무리 오래 맨발로 걸어도 여름 맨발걷기만으로는 동상 치유는 어렵다. 온몸을 최대한 따뜻하게 하고 발만 차가운 곳에 내려놓으면 발을 통해 땅의 냉기가 들어오지 않고 오히려 우리 몸에 숨은 냉기가 밖으로 빠져 나간다.

물론 겨울 맨발걷기를 할 때 유의점은 있다. 그것을 모르고 하면 동상의 위험에 노출될 수도 있다. 그래서 겨울 맨발걷기는 동상에 걸리니까 하지 마라는 말은 틀린 말은 아니다. 그러나 동상에 걸리지 않고 걷는 방법도 있음을 아는 것도 중요하다.

경남양산의 통도사는 통도사(通度寺)이지 통도사(通道寺)가 아니다. 많은 사람들이 통도사(通道寺)인 줄 알지만 법도의 뜻을 담은 도(度)를 사용한다. 도(道)가 아니라 도(度)와 통한다. 온도(溫度) 할 때 쓰이는 도(度)와 같은 글자이다. 온도에도 법도(法度)가 있다.

목욕탕에 가서 뜨거운 물에 들어가기 전에 손을 살짝 넣어본다. 그 온도와 나의 뇌는 순식간에 정보를 통하면서 몸 전체에 명령을 내린다.

"이 정도의 온도는 천천히 들어가면 무리가 없다. 들어가라."

그 온(溫)의 도(度)와 통하였다. 온의 도와 통하려면 먼저 뇌의 작용이 필요하다. 목욕탕 물에 손을 넣어보고 들어가도 괜찮겠다고 판단하는 순간 우리 뇌는 거기에 맞추어 준비를 하고 그 온도에서 내 몸 안의 피로를 몸 밖으로 배출해 준다. 하지만 아무 준비 없이, 나의 의사와 상관없이 갑자기 뜨거운 물에 들어가게 되면 같은 온도의 물이어도 뇌도 장기도 당황하여 몸의 피로가 풀리기는커녕 깜짝 놀라고 힘들기만 하다. 내가 선택한 찬물 샤워는 아무리 추운 날씨여도 무난히 마칠 수 있다. 끝내고 나면 오히려 몸과 마음이 상쾌하고 뇌에서는 도파민이 분비된다. 해외 여행에서 돌아와 시차 적응이 어려울 때 맨발걷기를 하면 쉽게 회복된다. 지금의 시간과 공간이 내 몸과 금방 통하여 시차 적응에 도움을 준다.

겨울 맨발걷기도 마찬가지이다. 영하의 날씨에 맨발걷기가 가능할까? 준비되지 않은 마음으로 나가면 확 차가움이 느껴져 몸이 긴장되고 더 이상 걸을 수 없게 된다. 겸손한 마음으로 맨발을 맨땅에 디디는 첫 순간, 땅 온도의 도(度)와 통하여야 한다. 그래서 겨울 맨발걷기일수록 조급함은 금물이다. 천천히 여유 있게 나의 발이, 나의 몸이, 나의 뇌가 겨울의 찬 기운을 이해하는 시간을 주어야 한다. 자연의 도(度)를 맞추려는 겸손한 마음이 필요하다.

똑같은 온도인데 그 온도와 통한 사람과 통하지 않은 사람은 많은 차이가 있다. 겨울의 차가운 온도와 어떻게 통할 것인가? 우리 뇌에게 어떤 명령을 내리게 할 것인가? 각자의 답을 찾아야 한다. 겨울 맨발걷기로 겨울땅의 도(度)와 통해서 진정한 삶의 도(道)를 깨달아 통도(通道)하면 좋겠다.

도파민과 겨울 맨발걷기

추운 겨울, 맨발걷기를 한참 하고 나면 다시 발이 따뜻해져서 걸을만하지만 그럼에도 영하의 날씨에 맨발로 맨땅을 걷는다는 것은 쉽지 않다. "겨울 맨발걷기를 하면 몸에 좋다더라"라는 정보만으로 계속 걷기는 생각보다 어렵다. 큰 병이 있어서 병의 치유를 위해 죽을 결심하고 맨발걷기를 하는 사람들의 경우가 아니라면 건강한 미래를 위해서 맨발걷기를 운동으로 선택한 사람들이다. 그들이 어떻게 겨울 맨발걷기를 꾸준히 할 수 있을까?

나의 경우를 돌아보면 겨울 맨발걷기를 하고 나면 몸이 가볍게 여겨지고 머리가 맑아졌다. 시린 발을 참고 걸을 동안은 분명히 고통스러웠는데 다음 날이면 그 겨울 맨발걷기를 또 하고 싶어졌다. 해야 하는 일이 아니라 하고 싶은 일이었다. 지금 맨발학교에서 나와 같이 몇 년간 맨발걷기를 실천한 사람들도 같은 말을 한다. 내가 인지할 만큼 몸이 좋아지려면 몇 달은 필요한데 그 훗날에 올 좋은 결과 때문만이 아닌 겨울 맨발걷기의 과정 자체가 싫지 않은 것이다. 오히려 큰 일을 해냈다는 뿌듯함과 기쁨이 있었다. 겨울 맨발걷기를 실천하지 않는 사람에게는 늘 이 부분이 설명하기 어려웠다. 그래서 일단 경험해 보라고, 그러면 놀라운 일이 벌어질 거라고 자주 말했었다.

폴 블롬의 『최선의 고통』 서평에 이런 문구가 있다.

"인간은 더 나은 삶을 살기 위해 고난을 선택한다."

인류는 진화를 위해 고통과 고난을 겪도록 설계됐다. 이 책은 인간의 태생이 쾌락주의자가 아니라는 반쾌락주의자 선언으로 시작한다. 이 책을 통해 알게 된 사실은 내가 선택한 고통은 끝내고 나면 그 어려움만큼의 쾌락이 나에게 온다는 것이다. 힘든 마라톤과 깊은 명상을 마치고 났을 때의 기쁨도 마찬가지다. 쾌락을 통해 분비되는 도파민은 의도된 고통을 이겨 냈을 때도 똑같이 분비된다는 것이다. 인간은 더 나은 삶을 살기 위해 고난을 선택하도록 설계되었다고 하지 않는가? 10년간 면벽수도하고 있는 도인을 보면 '어떻게 그렇게 힘든 일을 할 수 있지?'라고 막연히 생각하지만 뇌과학적으로 보면 그들은 그 일을 기쁘게 하고 있는 것이다. 선택한 고통으로 얻어지는 도파민이 있기 때문이다. 그래서 발이 시린 줄 알면서도, 추위를 뚫고 맨발걷기를 하러 가고 한 시간쯤 맨발걷기를 마치고 나면 기쁜 마음으로 돌아올 수 있다.

추위와 더위라는 온도는 우리 몸 입장에서 단식만큼이나 뇌와 신체에 아주 강력한 자극제이다. 문명의 이기로 추위와 더위를 겪지 않아도 되는 세상에 살지만 그것이 꼭 긍정적인 결과만을 낳지 않는다. 오히려 의도적인 추위 노출은 뇌와 신체의 도파민 분비에 강력한 영향을 미친다고 한다. 여기서 중요한 낱말은 '의도적'이라는 것이다. 어쩔 수 없이 냉동 창고에 갇히는 사고 같은 것이 아닌 추운 줄 알면서 즐겨 만나는 추위, 바로 스스로 선택한 겨울 맨발걷기 같은 것을 말한다. 무언가를 의도적으로 하고 그게 자신에게 좋다고 믿는다면 우리 몸의 변화는 긍정적 효과를 가져온다. 우리 뇌가 가진 능력이다. 애나 렘키의 『도파민네이션』에 따르면 쾌락과 고통은 뇌에서 늘 함께 공존한다. 쾌락을 처리하는 뇌의 특정 부위는 고통도 처리하며 마치 시소처럼 작용한다. 우리 뇌에는 쾌락과 관련이 깊은 신경전달 물질 '도파민'이 있다. 우리는 뇌는 0점의 항상성을 유지하려고 노력하고 있다. 쾌락을 선택하면 그 크기만큼의 고통이 뒤따르고, 고통을 선택하면 그 크기만큼의 쾌락이 동반된다. 여기서 말하는 고통은 교통사고와 같은 비선택적인 고통을 말하는 것이 아니고 선택적인 고통을 말하는 것이다.

사서 고생하고, 일부러 고통을 경험하면 행복이 뒤따른다. 결핍을 선택하는 것이 오히려 행복을 선택하는 것이 된다. 그런 면에서 폴 블룸이 쓴 책 『최선의 고통』에서 주장하는 "인류는 진화를 위해 고통과 고난을 겪도록 설계됐다."는 말은 설득력이 있다. 쾌락으로는 고통 없이 길게 행복하지 않다. 그러나 의도된 고통을 선택하면 긴 행복이 가능하다. 뇌과학자들은 운동, 명상, 찬물샤워 등을 대표적인 의도된 고통이라고 설명한다. 나는 이것을 하기 전에 좋은 것과 하고 나서 좋은 것으로 표현하고 싶다. 흔히 우리가 중독이라고 걱정하는 스마트폰, 초콜릿, 알코올, 텔레비전, 인스턴트 음식 등은 하기 전에 이미 하고 싶다. 하지만 지속적으로 하고 나면 후회가 따른다. 하기 전에, 할 때, 하고 싶은 쾌락은 오래가지 않는다. 하지만 나가기 싫고 하기 힘든 운동은 하고 나면 좋다. 몸도 마음도 기쁘다. 겨울 맨발걷기가 그렇다. 의도된 고통 뒤의 긴 기쁨이 있다.

　겨울 맨발걷기는 단순한 것 같지만 뇌과학의 비밀이 숨어있다. 겨울 맨발걷기로 게임 중독, 스마트폰 중독, 알코올 중독에 빠진 사람이 중독에서 벗어나는 사례를 많이 보았다. 지금 무언가에 중독되어 그 쾌락의 끝이 고통이라면 내가 선택한 '의도된 고통'으로 가치 있는 도파민을 얻기를 바란다. 겨울 맨발걷기가 바로 그 방법이다.

남대문에는 남대문이 없다

옛날 시골 어느 초등학교에서 서울로 수학여행을 가기로 하였다. 하지만 철수는 수학여행을 갈 수 없었다. 가난해서 수학여행비를 마련하지 못해서이다. 담임선생님이 철수 아버지를 찾아갔다.

"철수 아버지, 수학여행 경비 반만 마련해 주시면 제가 나머지는 구해볼게요."

담임 선생님의 마음에 감동한 철수 아버지는 동네 친구에게 돈을 빌렸고 철수는 수학여행을 갈 수 있게 되었다. 아버지가 철수에게 쌈지 돈을 용돈으로 주며 말했다.

"아버지는 아직 못 봤다만 너는 서울 가면 남대문을 꼭 보고 오너라."

철수는 버스를 타고 처음으로 서울 구경을 다녔다.

"창 밖에 보이는 것이 남대문이야."

선생님의 안내에 아이들은 신이 나서 함성을 지르면서 남대문을 보았지만 철수는 깜빡 잠이 든 바람에 남대문을 보지 못했다. 서울 수학여행을 마치고 집으로 돌아온 철수에게 아버지가 물었다.

"수학여행은 재미있었니? 남대문은 어땠어?"

없는 형편에 경비를 빌려서 수학여행을 다녀왔는데 철수는 남대문을 못 봤다고 차마 말할 수가 없었다. 동네에서 소문난 효자였던 철수는 못 봤다고 하면 아버지가 실망하실까 봐 "아주 크고 멋졌어요. 남대문이라고 크게 세 글자가 쓰여 있었어요."라고 말했다. 나는 철수의 마음이 이해된다. 철수입장에서는 그럴 수밖에 없다.

최근 방송이나 다양한 매체들에서 맨발걷기나 겨울 맨발걷기에 대해서 이야기하는 사람이 많이 늘어났다. 의사, 한의사, 스포츠 의학 전공자, 맨발걷기 체험을 한 사람 등 많은 사람들이 이런저런 조언을 하고 있다. 의사나 한의사 분들 중에 '저분은 정말 맨발걷기를 해보셨구나'라는 생각이 들 정도로 정확하게 짚어주시는 분이 계시기도 한다. 어떤 분은 기자가 물었을 때 의사라고, 한의사라고, 맨발걷기 전문가라고 조언을 하고 있는데 남대문을 실제로 보지는 못했구나라는 생각이 들 때도 종종 있다. 겨울 맨발걷기에 대한 이야기는 특히 더 그러하다. 영하의 날씨가 되면 무조건 걸을 수 없다고 한다든지 맨발로 걷는 시간은 몇 분 이상 하면 오히려 해롭다든지, 동상에 걸린다든지 하는 정보들이다. 남대문을 가보지 않은 사람은 남대문에 가면 남대문이라고 크게 써 놓았을 것이라고 상식적으로 생각하기 쉽다. 그러나 상식이 꼭 진리가 아닐 수 있다. 자신이 알고 있는 정보를 토대로 타인에게 좋은 정보를 주려고 노력하지만 남대문을 보지 못한 철수 같은 어리석음을 범할 수 있다. 정보의 옥석을 가릴 수 있는 혜안이 필요한 때다.

언제부터 겨울이어서 걸을 수 없는가?

'흙은 더럽다, 찔린다, 맨발로 돌아다니는 것은 이상한 사람 같다.' 등 사람들의 부정적인 이미지를 벗어나 맨발 걷기가 우리 사회의 새로운 자연친화적 문화, 건강을 위한 문화가 된 것은 직접 걸어본 사람들이 많아지면서 몸의 변화를 경험한 사람들의 의견이 널리 알려졌기 때문이다. 10년 전 의사 말대로 했다면 지금은 맨발로 걷는 사람은 거의 없어야 한다.

우리 뇌는 어떤 틀에 갇히면 벗어나기 어렵다. 코끼리를 묶은 쇠사슬이야기를 여러분은 모두 알 것이다. 뇌의 법칙이다. 코끼리를 일정 길이만큼의 쇠사슬로 묶어 놓고 기르다가 어느 날 쇠사슬을 풀어 주어도 기존의 쇠사슬 길이 이상으로 움직이지 않는다는 이야기다. 흙이 더럽고 맨발로 걸으면 찔린다는 생각을 내려놓기가 쉽지 않은 사람들이 많을 수밖에 없다. 하지만 흙은 결코 더럽지 않다. 오히려 흙놀이를 하고 맨발로 흙을 만나야 면역력이 좋아진다. 생각보다 위험할 것이 없다는 정보가 나의 뇌에 자리 잡으려면 책만 읽어서는 해결이 되지 않는다. 직접 몸으로 체험해서 그 정보가 뇌에 저장되어야 한다. 겨울에 걸으면 동상에 걸린다는 정보만 갖고 있으면 겨울 맨발걷기를 절대로 시작 해 볼 수 없다.

겨울에는 안된다는 마음, 겨울에는 불가능하다는 정보가 있으면 겨울 맨발걷기는 할 수 없다. '겨울이 뭐예요?' 겨울이 뭔지 모르는 사람은 할 수 있다. 어제했기 때문이다. 11월 30일은 되는데 12월 1일은 왜 안되는가? 12월 1일은 되는데 12월 2일은 왜 안되는가? 언제까지 맨발걷기는 되고 언제부터는 안되는가? 10월 찬 바람 부는 어느 날 보다 12월 볕 좋은 날이 더 따뜻하기도 하다. 언제 겨울이어서 걸을 수 없고 언제 가을이어서 걸을 수 있는가?

어른을 모시고 사는 아들내외가 어머니께 말씀드린다.

"어머니, 일흔이 되면 2층 방 사용은 계단 오르기가 힘들어서 어렵겠지요? 저희가 2층을 쓰고 어머니는 안전한 1층에서 생활하셔요."

69세 마지막 날 멀쩡히 잘 오르내리던 2층 계단을 70세

첫날은 못 올라갈까? 다시 생각해 볼 문제다. '안된다. 위험하다.' 하면 안 된다. 어제도 했는데 오늘도 할 수 있다고 여기면 할 수 있다. 마음이 이렇게 크게 작용한다.

나의 뇌에 겨울은 추우니까 쉬어야 한다고 정해 놓는 순간 겨울 맨발걷기를 할 수 없다. 어제 걸어 다녔기 때문에 오늘 걸을 수 있고, 오늘 걷고 있기 때문에 내일 걸어 다닐 수 있다. 이것이 뇌의 비밀이다. 내가 컨디션이 안 좋으면 한 여름 밤도 으실으실 한기가 들때가 있고, 한겨울이라도 몸에서 온기가 넘치는 날이 있다. 봄, 여름, 가을, 겨울은 우리가 만들어 놓은 칸막이다. 나는 초등학교 1학년 아이들이 3월부터 12월 추운날까지 하루도 빠짐없이 운동장에 나와 맨발걷기 하는 것을 수년간 지켜보았다. 다할 수 있다.

우리가 가진, 세상이 갖고 있는 정보의 틀이다. 내년에 내기로 계획한 겨울 맨발걷기 책을 올해 쓰고 있는 이유는 맨발걷기를 시작한 많은 사람들이 엉터리 정보에 갇혀 겨울의 문턱에 주저앉아 버리는 것이 너무 안타까워서다. 도깨비까지는 되었는데 참도깨비가 되는 길목에서 멈추는 것을 보고 마음이 바빠졌다. 경험에서 우러난 바른 정보를 주면 겨울 맨발걷기를 제대로 할 수 있는 사람들에게 큰 힘이 될 수 있을 것이라 믿는다.

여전히 겨울에 맨발걷기를 하면 안된다고 믿고 있는 분들은 아직 인연이 아니다. 조금 더 기다려야 한다. 나도 사실 강화도 마니산 겨울 맨발걷기를 하기 전에는 심기혈정(心氣血精)의 원리를 몰랐다. 우리 몸의 온기, 냉기는 누가 움직이는가? 우리의 용기, 우리의 기분은 누가 만드는가? 그것은 마음이다. 생각이다. 정보이다. 다 죽어가다가도 아들이 어려운 시험에 합격했다는 소식을 들으면 엄마는 벌떡 일어난다. 그 기력(氣力)은 갑자기 어디에서 온 것인가? 바로 마음에서 온다.

겨울 맨발걷기 1단계: 생각보다 어렵지 않다

겨울 맨발걷기의 가장 큰 적은 '겨울'이라는 단어가 가지고 있는 정보이다. 공부는 IQ로 하는 것이 아니다. IQ는 높은데 공부가 안 되는 아이가 있다. IQ는 보통인데 공부 잘하는 아이가 있다. 공부 잘하는 아이들의 공통점은 '나는 공부를 잘한다'는 신념을 가지고 있다는 것이다.

엄마가 '너는 아빠 닮아서 공부를 못한다'는 신념을 심어주면 공부를 잘하기는 어렵다. 겨울은 추워서 맨발걷기를 못한다는 정보에 갇히면 겨울 맨발걷기의 묘미를 만날 수 없다. 사람들의 뇌에 저장되어 있는 겨울 맨발걷기에 대한 정보를 먼저 바꿔야 한다.

형들에게 수영을 배우던 어린 시절 동네 친구들의 모습을 관찰해 보면 처음 배울 때 깊은 곳에서 시작하지 않는다. 낮은 곳에서 튜브를 안고 그냥 물속에서 논다. 그러다가 몸에 둘렀던 튜브를 벗어던지고 조금씩 수영을 배워나간다. 전문가가 옆에 있으면 마음도 편안하고 수영을 익히기가 쉽다. 나중에는 형이 없어도 점점 깊은 곳에서 수영을 하게 되고 결국은 일어서서 발이 땅에 닿지 않는 깊이의 물에서도 용기 있게 수영을 하게 된다. 그렇게 몇 번의 여름을 지내고 나면 깊은 곳에 빠지더라도 자신의 생명을 지킬 수 있다. '생존수영'을 자연스럽게 익히게 되는 것이다.

처음 겨울 맨발걷기를 하는데 바로 영하의 날씨를 추천하지는 않는다. 우선 따뜻한 겨울 낮에 맨발걷기를 시작하자. 겨울에도 볕이 좋은 따뜻한 한낮은 어렵지 않다. 우리 뇌와 몸은 벌써 겨울이라고 준비를 하고 있다. 옷도 충분히 보온이 되도록 입고 나왔기 때문에 전혀 어려움이 없다. 초등학생, 할머니, 할아버지 누구나 할 수 있다. 우리 몸은 겨울에 탈이 나는 것보다 환절기에 더 탈이 난다. 가을에서 겨울로, 겨울에서 봄으로 바뀔 때 하루의 일교차가 심하면 그 온도의 변화에 적응하기 위해 우리 몸은 엄청난 일을 해야 한다. 하루에 일교차가 20도가 넘는 날도 있다. 이 엄청난 온도의 변화를 우리 몸은 감당해야 한다. 그래서 이때는 옷을 따뜻하게 입고 우리 몸의 체온이 일정하게 유지되도록 도와주어야 한다. 틈틈이 맨발걷기를 실천하려면 봄가을도 두꺼운 외투를 준비하자.

내 친구 이야기를 하나 하겠다. 당뇨병이 있는 현직 교장선생님이다.

"친구야 나는 당뇨가 있는데, 의사 선생님이 맨발걷기하지 마라고 하던데"

나는 친구랑 학교운동장에 나갔다. 그리고 양말을 벗고 아주 천천히 걸었다. 100세 할아버지 걸음보다 더 천천히 같이 걸었다. 그리고 친구에게 말했다.

"친구야 이 정도도 맨발로 못 걸으면 죽어야 하는 거 아니야?"

이런 농담을 주고받으며 웃으며 함께 걸었다. 그 친구는 꾸준히 맨발걷기를 하여 지금은 당뇨약을 모두 끊었다. 의사 선생님의 말씀은 맞다. 당뇨가 있는 사람은 혹시 다치면 큰일이다. 그러나 자신의 몸의 소리에 귀를 기울이며 천천히 조금씩 시도해 볼 수 있다. 천천히 살펴서 걸으면 발에 상처가 나지 않게 안전하게 걸을 수 있다. 처음에는 5분도 괜찮다. 몸이 좋아지는 것만큼 조금씩 조금씩 맨발걷기 시간과 속도를 늘려 나가면 된다. 그러다 보면 병에 이

끌려 다니지 않고 내가 내 몸의 주인이 된다.

그 친구의 첫겨울 맨발걷기가 찾아왔다.

"친구야, 주위에서 모두 겨울 맨발걷기는 동상 걸리니 하지 말라던데."

볕이 아주 좋고 바람도 없는 따뜻한 겨울 낮에 그 친구와 같이 맨발로 걸었다. 이번에는 친구가 먼저 장난스럽게 말하였다.

"이 정도도 맨발로 못 걸으면 죽어야 되겠지."

둘이 한참 웃었다. 그 친구는 지금 겨울 맨발걷기를 수년 째 잘하고 있다. 겨울 맨발걷기의 깊은 맛을 즐기고 있다고 오히려 자랑한다. 그리고 주변 사람들에게 겨울 맨발걷기의 매력을 열심히 전하고 있다.

겨울이지만 봄, 가을보다 바람이 적고, 따뜻한 볕이 있는 날이 생각보다 많다. 그런 날도 겨울이라고 생각하면 못 걷는다. 365일을 봄, 여름, 가을, 겨울이라는 구분 없이 비, 바람, 햇볕, 기온 등을 고려하여 맨발걷기 좋은 날을 순서를 매긴다면 겨울이 몽땅 하위 4분의 1을 차지할까? 아닐 수 있다. 봄, 여름, 가을에도 걷기 힘든 날이 많다. 따뜻한 겨울 낮부터 시작하라. 그리고 뇌에게 정보를 주라. "

어? 생각보다 어렵지 않네." 그때부터 겨울 맨발걷기의 싹은 트기 시작한다.

하지만 아무리 따뜻한 겨울이어도 옷은 따뜻하게 입어야 한다. 장갑, 목도리도 하는 것이 좋다. 목을 따뜻하게 하면 우리 몸의 체온을 유지하는데 도움이 된다. 따뜻한 겨울날에는 롱패딩을 입고 장갑, 목도리 정도만 해도 맨발걷기를 할 수 있다. 모자, 귀마개까지 안 해도 되는 겨울날도 있다.

겨울 맨발걷기 2단계:
오히려 차가운 땅을 찾게 된다.

　낮은 곳에서 수영을 하다 보면 가만히 두어도 조금 더 깊은 곳으로 저절로 가게 된다. 처음부터 겨울 맨발걷기를 극기훈련하듯이 할 필요가 없다. 따뜻한 날부터 시작하면 된다. 그렇게 겨울 맨발걷기를 시작했는데 얼마 지나고 보면 한파가 몰아치는 날을 제외하고는 오히려 볕이 적은 겨울 맨발걷기를 즐기고 있다. 그것은 겨울 맨발걷기를 선택한 그들만의 기쁨이다. 겨울의 차가운 땅을 걷는 기쁨을 알기 시작해서이다. 겨울 햇살에 따뜻해진 운동장의 감촉도 좋지만 겨울의 차가운 땅이 가진 매력도 알게 되기 때문이다. 공기놀이를 하나 하더라도 손등의 공기를 단순하게 아래로 받기, 위로받기를 하고 나면 선생님이 하라고 하지 않아도 위아래 번갈아 받기를 혼자 시도해 보게 된다. 시도하다 보면 성공하게 된다. 그게 배움의 과정이다. 인간은 누구나 조금 더 높은 수준의 배움에 다가가고 싶어 한다. 그래서 아이들은 학교에서 성장할 수 있는 것이다. 주어진 것만큼 하고 그만둘 것 같지만 그렇지 않다.

겨울낮의 최고온도가 10도에서 맨발걷기를 한 사람은 9도, 8도, 7도 모두 할 수 있다. 6도, 5도, 4도, 3도, 2도 1도에서도 가능하다. 어제 한 사람은 오늘 할 수 있고, 오늘 한 사람은 내일 할 수 있다. 겨울 맨발걷기의 첫발이 힘들어서 그렇지 시작하면 꾸준히 할 수 있다. 몹시 추운 날은 모자, 귀마개까지 하면 좋다. 초보자는 면양말을 신어도 된다. 발등은 따뜻하게 하고 양말바닥은 뚫어서 할 수도 있다. 양말을 신지 않고 진짜 맨발로 하는 기쁨이 또 있다. 그래서 보조적인 준비물 없이 하는 회원도 많다. 그들이 선택했기 때문에 기꺼이 기쁜 마음으로 한다.

"너 잘못한 게 많으니까 오늘 밤 맨발로 운동장 10바퀴 달리고 와."

만약에 이런 경우라면 아주 무서운 벌이다. 상상도 하기 싫을지 모른다. 하지만 우리는 기분 좋게 선택해서 맨발로 운동장으로 향한다. 벌 받아서 하는 겨울 맨발걷기와 내가 선택한 겨울 맨발걷기의 차이는 어마어마하다.

사람들이 겨울 맨발걷기는 땅속의 음이온만을 접한다

고 생각하는 데 그렇지 않다. 다양한 온도도 함께 접하는 것이다. 겨울땅의 다양한 온도를 뇌가 경험하는 것은 뇌발달에 좋은 영향을 미친다. 뇌에게 다양한 자극을 주는 것을 통해 우리 뇌의 감각은 더욱 다양해지고 몸의 면역력은 더욱 증가된다.

겨울 맨발걷기 3단계: 장수 유전자를 깨워라

발바닥이 후끈 달아오르는 경험은 겨울에만 가능하다. 이 경험을 하게 되면 겨울 맨발걷기의 깊은 매력에 빠지게 된다. 발가락이 끊어질 것 같은 고통의 순간을 만날 수도 있고, 두 발이 없어지는 것 같은 느낌이 들 때도 있다. 하지만 내가 선택한 고통이고 그 고통 뒤에 따라오는 몸과 머리가 상쾌해지는 보상을 알기에 할 만하다. 아기를 낳는 산고를 이겨낼 수 있는 이유는 그 고통은 영원하지 않다는 사실과 고통 뒤에 만나게 될 기쁨 때문이리라. 가끔 겨울 맨발걷기에서 만나는 발이 에리는 듯한 발 시림을 통해 고통을 이겨내는 힘이 길러진다고 여겨질 때도 있다. 몸의 온도를 발바닥에 내려보내는 체조도 함께 한다. 그러면 좀 더 쉽게 할 수 있다. 이런 겨울 맨발걷기를 자주 하는 분들 중에 간혹 발가락이 살짝 어는 동상에 걸리는 사람도 있다. 이런 사람은 머리도 맑아지고 발바닥이 후끈거리는 그 느낌이 좋아서 자신도 모르게 무리하게 겨울 맨발 걷기를 한 경우가 대부분이다. 새벽, 겨울 산을 맨발로 몇 시간씩 걷다가 그런 경우도 봤고, 눈 내린 겨울 산이 좋아서 3시간을 걸었는데 괜찮아서 더 걸었더니 집에 돌아와 보니 새끼발가락이 언 것 같다고도 했다. 겨울 맨발걷기의 매력이 이 정도다. 설사 그런 일이 벌어졌다 해도 크게 걱정 안 해도 된다. 맨발걷기를 멈추면 그 냉기는 동상의 모습으로 몸에 남아있게 되지만 꾸준히 맨발걷기를 하면 그 냉기는 다시 몸 밖으로 빠져나간다. 두려워하지 말고 계속 걷다 보면 가볍게 동상 걸린 부분이 허물 벗듯이 하얗게 피부가 벗겨지면서 깨끗하게 회복되는 경험을 할 수 있다. 나는 지난 긴 세월 동안 그렇게 동상을 극복하고 발이 매끈해졌다며 좋아라 하는 분들도 꽤 많이 만났다. 힘든 여정이었지만 배우고 깨달은 것이 많다고 이야기를 들려주기도 하였다.

맨발학교에는 겨울에도 매일 새벽 꾸준히 맨발걷기를 실천하는 분들이 많이 있다. 한 겨울 폭포수에서의 냉수마찰도 누군가에게는 할만한 일이고 하고 싶은 일일 수도 있다. 그 냉수마찰을 통해 장수유전자가 깨어난다. 우리 안에 있는 장수 유전자가 깨어나는 순간은 배가 고파서 꼬르륵할 때이다. '꼬르륵' 소리를 장수 유전자가 깨어나는 신호라 여기고 자주 공복의 상태를 즐기면 도움이 된다. 그리고 추위를 이겨낼 때이다. 냉온탕을 왔다 갔다 하면 건강에 좋다는 것도 비슷한 경우이다. 해뜨기 전 새벽의 그 차가움을 견딜 만큼의 힘을 가진 사람들은 장수할 가능성이 높다. 장수유전자가 깨어나기 때문이다. 새벽 맨발걷기는 잠에서 깨어 따뜻한 물을 한 잔 마시거나 절수련 등으로 몸을 조금 따뜻하게 하고 나가는 것도 좋은 방법이 될 수 있다.

겨울 맨발걷기는 몇 분 걸어야 됩니까? 반드시 몇 분이라는 시간은 없다. 자신의 몸에 맞게 하면 된다. 중요한 것은 자신의 몸과 대화하는 것이다. 내 발이 어떻게 느끼는지, 내 몸의 상태가 어떤 지를 잘 살피며 내 몸에 집중해야 한다. 맨발걷기를 하면서 내 호흡에도 집중해 보면 좋다. 겨울 맨발걷기를 다 하고 나서 자신의 호흡에 집중해 보면 평소보다 훨씬 잘 된다고 여겨진다. 자신의 호흡을 느낀다는 것은 외부의식이 내부의식으로 전환되어 몸속의 생명력과 소통을 시작한다는 뜻이다.

겨울 맨발걷기를 마치고 두 손을 무릎에 올리고 하늘을 향해 편히 놓아보라. 맥박이 뛰는 것을 느낄 수 있다. 자신의 맥박을 느낀다는 것은 생명의 원천을 만나는 깊은 명상과도 같다. 그래서 겨울 맨발걷기는 깊은 명상 프로그램이다. 내 몸의 온도와 계속 대화를 하게 되고 내 몸의 온도와 통하게 되고 맨발이 어떤 처지에 있으며 어떻게 운기가 되는지 체험한다. 겨울 맨발걷기를 통하여 내 몸과 자연에서 만나는 만물의 도가 통하는 것의 의미를 알게 된다. 겨울 맨발걷기의 진수를 맛본 사람들은 겨울이 끝나는 것을 아쉬워한다. 이른 봄이면 더 늦기 전에 얼음이 남아있는 차가운 그늘을 찾아다니기도 한다.

겨울 맨발걷기 복장

맨발걷기는 특별한 준비물이 없다. 발이 나가면 몸이 나가고 마음이 따라 나오면 된다. 나는 산길을 맨발로 오를 때 주차장에 차를 세우고 신발은 아예 차에 두고 간다. 잠깐 만나는 보도블록이나 시멘트길을 맨발로 걷는 것도 개의치 않는다. 접지와 흙에서 얻는 것은 없을지라도 맨발로 걸으면 발의 자극은 얻을 수 있어서 좋다. 맨발걷기를 오래 한 사람들은 준비물도 가볍게 갖고 다닌다.

맨발걷기를 하기 위해 집에 가서 옷을 갈아입고 다시 나온 적이 별로 없다. 대부분 퇴근하고 집에 가기 전에 그날의 맨발걷기를 하고 들어간다. 10년 동안 하루도 빠짐없이 맨발걷기를 한 비결이기도 하다. 집에 들어가면 다시 나오기가 싫다.

강의 등으로 주로 양복을 입고 있지만 바로 운동장으로 나간다. 간편한 트레이닝 복으로 갈아입어야 한다고 생각하는 것만 내려놓으면 된다. 넥타이를 맸다면 넥타이는 풀어두고 셔츠 차림으로 가거나 평소에 차에 싣고 다니는 상의를 걸치고 가면 된다. 맨발걷기는 그냥 구두만 차에 두면 된다. 양복바지 차림의 걷기도 아무 무리가 없다. 봄여름이면 양복 윗도리를 차에 두고 나온다. 간편하고 시간이 절약된다.

예전에 헬스장에 3일 정도 다닌 적이 있다. 바쁜 일정을 소화해야 하는 나에게는 운동하기 전까지 너무 많은 시간이 필요했다. 정해진 헬스장에 가야 되고 옷을 갈아입어야 하고 운동을 마치면 간단한 샤워도 해야한다. 거기다 일정이 늦게 끝나는 날은 헬스장이 이미 문을 닫아버렸다. 1시간 운동하는데 1시간 이상의 준비시간이 필요했다. 그래서 며칠 다니고는 어쩔 수 없이 그만두었다.

맨발걷기는 나에게 시간을 절약해 주는 최고의 운동법이다. 내가 하루 일과를 어디에서 마쳤던 근처의 땅만 찾아가면 된다. 학교운동장, 공원, 야산, 바닷가, 강변, 아파트 산책길 등 어디든 상관없다. 제주도에 출장 가든 외국으로 출장 가든 의지를 가지고 찾으면 맨땅은 어디에도 반드시 있다. 시간도 상관없다. 낮이면 산이나 바닷가 근처에서 걷고 밤이면 학교 운동장을 찾아간다. 여건이 어려우면 새벽 시간도 좋다. 나는 동네별로 밤에 운동장을 개방하는 학교에 대한 정보를 많이 알고 있다. 어디에서 일을 마쳤든 그곳으로 가서 한 시간 이상 걷고 집으로 들어간다. 맨발걷기에 준비물이 필요하고 특정한 장소에 가야 된다면 지난 10년 동안 꾸준한 맨발걷기를 실천하기 어려웠을 것이다. 그래서 모든 땅이 감사하다. 접지가 좀 더 잘 되고 좀 더 안되고는 나에게는 아무 상관없는 이야기다. 내가 언제 어디서든 만나는 그 땅에 감사한 마음을 갖고 발을 내딛는다.

겨울에는 준비물이 좀 필요하다. 겨울에는 덥다 싶을 정도로 옷을 따뜻하게 입고 발만 온전히 내놓는다. 겨울에도 나는 퇴근해서 집에 가기 전에 맨발걷기를 하고 간다. 그래서 자동차 트렁크에 준비물이 늘 있다. 양복바지 위에 입어도 좋을 넉넉한 사이즈의 방한용 바지, 짧은 패딩, 롱 패딩이 있다. 일과를 마치고 근처 운동장에 가서 신발을 벗는다. 트렁크를 열고 먼저 양복바지 위에 방한용 바지를 겹쳐 입는다. 양복 윗도리는 불편하니까 주로 벗어놓고 날씨에 따라 짧은 패딩을 하나 입는다. 더 추울 때는 롱 패딩을 입는다. 나의 롱패딩 4개의 주머니에는 장갑, 목도리, 모자, 귀마개가 주머니마다 하나씩 들어있다. 날씨를 봐가면서 하나도 안 사용해도 되는 날도 있고 4개 모두 착용하는 날도 있다.

맨발학교 여자 회원들도 비슷한 차림으로 겨울 맨발걷기를 하는 경우가 많다. 아래위 겹쳐 입을 방한복을 준비해 다닌다. 특히 아웃도어 의류제품들이 보온성이 높아서 가볍고 따뜻하면서 두껍지 않은 기능성 방한복을 준비해 다니는 분들도 많다. 정장차림 위에 롱패딩을 입고 걷기도 하고 스커트 안에 두꺼운 패딩 바지를 입는 경우도 있다. 특히 여자회원의 경우 겨울철 스커트를 입을 때 발이 없는 스타킹, 즉 무발 스타킹을 즐겨 신는다고 한다. 스타킹을 벗어야 하는 번거로움이 없기 때문이다. 발 없는 스타킹을 신고 높은 구두를 신어야 할 경우 얇은 덧신을 신거나 맨발로 다니기도 한다. 물론 시간적 여유가 있으면 걷기에 어울리는 편하고 따뜻한 복장으로 갈아입으면 제일 좋다. 하지만 꼭 그렇게 해야 한다면 맨발걷기를 꾸준히 실천하는데 오히려 걸림돌이 된다. 바빠서 못한다, 옷 갈아입기 불편해서 못한다 하지 말고 자신의 형편에 맞게 창의적인 대처가 필요하다.

4월 어느 날, 한 회원이 맨발 단톡방에 질문을 올렸다.

"교수님, 4월이라 꽤 더운 날이 있는데도 목도리와 장갑을 하고 있어요. 목도리를 언제까지 계속해야 하나요?"

겨울철에 목도리와 장갑을 하면 좋다고 강조를 했더니 주의사항을 심하게 잘 듣고 실천한 예이다. 자신의 몸에 맞게 하면 된다. 겨울 낮 양지바른 산길을 걷는데 손이 시리지 않으면 굳이 장갑을 끼지 않아도 된다. 하지만 몸의 컨디션이 좋지 않거나 손이 시려서 걷기에 방해가 된다고 여겨지면 장갑을 끼는 것이 좋다.

나는 봄, 여름, 가을에도 허름한 롱패딩이나 바람막이 웃옷을 차에 싣고 다닌다. 봄, 가을은 쌀쌀한 날이 있을 수 있기 때문에 꼭 필요하다. 간혹 여름에도 태풍이 지나가거나 갑자기 소나기가 내린 후에도 내 몸의 컨디션에 따라 필요할 때가 제법 있다.

겨울 맨발걷기 후 발씻기

　겨울 맨발걷기는 맨발걷기 후 발 씻기가 중요하다. 겨울 맨발걷기 후에는 발과의 온도차를 줄여 동상을 예방하기 위해 반드시 찬물로 발을 씻어야 한다. 집 가까운 곳에서 겨울 맨발걷기를 했다면 마지막 10분 정도는 운동화를 신고 걸어서 발이 실내의 온도에 적응할 수 있는 시간을 주면 좋다. 발이 시린 채로 갑자기 따뜻한 방바닥으로 걸어 들어가면 적응이 어려울 수 있다.

　겨울 맨발걷기를 하러 가면 대부분의 세족장에 수돗물이 나오지 않는다. 동절기 동파를 예방하기 위해 물을 잠가두었기 때문이다. 그럴 경우에 당황하지 말고 적절한 방법을 생각해 보고 행동하면 된다. 겨울에 마른 땅을 걸었다면 발에 흙먼지는 남아 있지만 그렇게 더럽지 않을 수가 있다. 신고 왔던 덧신이나 양말을 뒤집어서 신고 집으로 간다. 집에 가서 양말을 벗을 때 다시 바르게 벗으면 양말 속에 흙이 묻어나거나 흙 알갱이가 들어가는 일이 없다. 그래서 양말을 세탁하기 쉽다. 어떤 분은 집에서 낡아서 더 이상 못 신는 양말이나 덧신을 활용하는 경우도 보았다. 가끔 아주 깔끔한 분들은 작은 생수 통에 물을 넣어가서 발바닥을 헹구고 손수건으로 닦고 다시 운동화를 신고 가는 것을 보았다.

나는 겨울 철에도 슬리퍼 한 컬레를 트렁크에 싣고 다니다가 맨발걷기 후 집에 들어갈 때는 슬리퍼를 신고 들어갈 때가 많다. 그러면 굳이 추운 겨울날 밖에서 발을 씻지 않아도 불편함 없이 집에 가서 발을 씻는다.

겨울 맨발걷기 후 발을 씻는 것도 각자의 형편에 맞게 하면 된다. 단, 시린 발을 갑자기 뜨거운 물에 넣지 않는 것은 꼭 명심해야 한다.

겨울 맨발걷기는 내공 수련이다

분주한 일상을 마친 늦은 저녁, 강의와 업무처리로 지친 몸을 이끌고 운동장에 두 발을 디딘다. 땅이 내 편이 되어 준다. 천천히 걷는다. 하루를 돌아본다. 다이어리를 펴고 애써 하루를 기록하고 반성하지 않아도 천천히 걸으면서 생각이 정리되고 마음이 평화로워진다. 내일 할 일들을 머릿속에 떠올린다.

상대와의 관계를 생각해야 하는 테니스, 배드민턴과는 다른 느낌의 운동이다. 외부의 공(ball)에 신경 쓰는 대신 내부의 공(功)에 전념할 수 있다. 종일 사람을 만나고 그 사람과 맞추려고 의식을 외부에 두었는데 퇴근해서 운동할 때도 상대와 외부의 공에 나의 의식을 가져간다. 그러면서 나의 내부 의식과 소통하는 시간이 점점 사라진다. 어느덧 외부의 자극에 따라 반응하는 자신이 되어간다.

맨발걷기는 내공수련이다. 가끔 친구들과 함께 걷기도 하고, 동료와 걸을 때도 있지만 날이면 날마다 내 일상 속의 하나의 루틴으로서의 맨발걷기에는 혼자일 때가 훨씬 많다. 혼자만의 시간을 즐기면 된다. 모든 시선을 내 안으로 돌리고 자연과 함께 하면 된다. 마음이 깊어지고 평화로워진다. 매일 이런 시간을 30분 이상 갖는 사람과 그렇지 않은 사람의 차이는 크다. 차츰 내 안의 소리에 귀 기울이게 되고 섭섭하거나 화나는 일도 줄어들게 된다.

겨울 맨발걷기는 최고의 명상이다. 내 안으로 마음을 모아서 나의 의식을 외부에서 내부로 모을 수 있다. 다른 사람과 하는 스포츠 경기는 운동도 되고 재미도 있어서 좋다. 겨울 맨발걷기는 경쟁하는 스포츠가 아니기 때문에 다소 심심할 것 같지만 묘한 끌림이 있다. 바로 내공의 힘이다. 한 시간을 다 걷고 돌아오는 길, 발바닥도 다시 따뜻해지고 허한 마음이 없어지고 뿌듯하다. 지금 이대로의 나를 사랑하게 된다. 맨발걷기를 하는 많은 사람들이 혼자 걸어도 지루하지 않다고 한다.

사방으로 뻗어나가 힘들었던 내 마음들이 천천히 집으로 들어오는 느낌이다. 고향집 마당에 들어서는 느낌이 들 때도 있다. 겨울 맨발걷기 체험자들이 다들 명상을 하고 난 느낌이라고 하는 데는 다 이유가 있다.

겨울의 날씨는 차갑다. 겹겹이 바지를 끼어 입고 바람을 막아주는 두툼한 웃옷을 입고 모자와 장갑도 챙긴다. 맨발을 운동장에 내딛는다. 걷다 보면 땅의 온도가 느껴진다. 그 순간 자연과 우주와 나의 호흡이 하나가 되고 모두가 하나라는 느낌이 든다. 그 경험들이 중요하다.

바쁠수록, 분주할수록, 여유가 없을수록 잠시 내려놓고 내 안을 들여다볼 시간이 필요하다. 겨울 맨발걷기는 그래서 우울증 치료에도 큰 도움이 된다. 세상을 살면서 힘든 일을 이겨내는 것은 팔다리에 있는 근육의 힘만이 아니고 내 마음의 근육이다. 겨울 맨발걷기는 나의 내면에 더 집중하게 되어 마음의 근육을 더 강하게 해 준다.

겨울 맨발걷기로 뇌의 주인이 되어라

    자연치유의 대가 전홍준의 책『나를 살리는 생명 리셋』을 공감하며 읽었다. '다시 멧돼지가 될 수 있는 집돼지' 이야기가 특히 인상적이었다. 다리를 재생시키고 비만 조절을 할 수 있는 유전자 스위치가 꺼져 버린 집돼지는 송곳니가 퇴화되고 모발 재생유전자가 꺼져 버려 몸에 털이 거의 없어졌다. 병을 이기는 면역세포 유전자도 다 꺼져버려 돼지 열병에 걸리면 거의 모두 죽게 된다. 그런 집돼지를 야생으로 돌려보내면 3세대가 지나는 2년 정도만 되면 꺼져 있던 유전자가 다시 재생되어 대부분이 원래 같은 유전자를 가진 멧돼지처럼 된다고 한다. 3세대만 지나면 잘 달리기 위해 다리가 길어지고 흙을 잘 팔 수 있도록 주둥이가 길어지고 면역력이 커진다니 놀라웠다.

    우리 몸 안에 원래 있었던 유전자의 스위치를 켜려면 2가지가 필요하다. 유전자의 암호는 생활 습관과 마음의 습관 변화로 바꿀 수 있다. 2010년 세계를 놀라게 후성유전학의 내용이다. 유전자는 선천적이고 바꿀 수 없다는 것에서 나의 선택에 의해 바뀌어진다고 하는 엄청난 생각의 변화가 시작된 것이다.

시멘트 건물에서 빠져나와 햇빛을 쬐고 맨발로 흙을 밟으며 흙에서 나는 좋은 음식을 먹고 감사한 마음으로 생활하면 유전자 마저 달라질 수 있다고 하지 않는가? 생활 습관을 바꾸면 병약한 내가 아닌 원래 호모사피엔스가 가진 좋은 유전자가 재생되어 건강하게 살아갈 수 있다고 하니 얼마나 희망적인 메시지인가?

특히나 겨울이면 햇볕을 만나기 어렵다. 햇빛을 찾아 나서야 한다. 겨울 햇살아래서 맨발로 맨땅을 걸으며 흙을 만나야 한다. 그리고 감사한 마음을 가지면 된다. 지금 당장 선택할 수 있는 일들이다.

내 몸은 내가 아니라 내 것이므로 내가 하는 선택에 따라 달라진다. 우리가 겨울 맨발걷기를 할 수 있다고 선택하는 순간 우리는 겨울에도 두려움 없이 맨발걷기를 꾸준히 할 수 있다. 이 순간 우리는 온전히 나의 뇌의 주인이 되는 것이다. 그 순간 꺼져있던 우리의 장수유전자가 깨어나

건강하고 오래, 잘 살아갈 수 있게 된다. 후성 유전학은 마음의 의학이다. 우리의 몸이 어떤 선택을 하고 우리의 마음이 어떻게 선택하느냐에 따라 우리의 일상도, 우리의 미래도 달라질 것이다.

르네상스 시대의 위대한 의사이며 제2의 히포크라테스로 불리는 파라켈수스는 치유의 힘은 의사의 의술에서 나오는 것이 아니라 하늘과 자연에서 나온다고 했다. 겨울 맨발걷기는 우리가 만나는 모든 자연에 감사하고 내 안에 이미 있는 자연치유력을 믿으며 맨발로 맨땅을 걷는 것이다. 내 몸에 잠자고 있는 유의미한 유전자의 스위치를 다시 켜서 내 몸이 건강하고 행복해짐을 굳게 믿으며 걷는 것이다.

눈이 내리면 겨울 맨발걷기도 빛난다

남들이 눈 위를 걸었다고 하면 부러울 때가 많다. 눈 위를 맨발로 걷는 건 대단한 도인(道人)이나 하는 것처럼 느껴진다. 설마 나도 그것이 가능할까? 믿어지지 않는다.

운동장에 눈이 내린다. 겨울 햇살이 쌓인 눈에 닿아 찬란하게 반짝인다. 드디어 눈 위를 걸어볼 수 있는 기회가 왔다. 맨발을 천천히 눈 위에 내려놓는다. '아, 할만하다.' 사실 눈이 내리는 순간은 평소 겨울 날씨보다 오히려 포근한 날씨일 때가 많다. 눈이 내려 쌓인다. 내가 걸었던 내 발자국이 보인다. 눈이 쌓이면 아까 걸었던 나의 발자국이 보인다. 그 발자국에 다시 내 발을 살며시 놓는다. 그 순간이 참 좋다. 내 발자국을 따라 다시 걸어볼 수 있다. 내 인생을 돌아보는 순간이다. 내 발자국의 흔적들이 나의 앞길을 안내해 주는 것 같아서 신선한 경험이다. 가끔 아무 생각 없이 눈 내린 운동장 둘레를 걷고 있으면 나 혼자 걸은 흔적 맞나 싶을 정도로 많은 발자국이 남기도 한다. 한 방향으로 향하는 발자국들이 미술 작품처럼 여겨질 때도 있다.

'나는 한 겨울 눈 위를 맨발로도 걸을 수 있는 대단한 사람이야'라는 정복의 마음은 필요 없다. 오히려 눈 위에 겸손한 마음으로 발을 내려놓는다. 천천히 걷는다. 눈이 얼어붙어 딱딱한 얼음이 되지 않은 상태에서는 한 시간도 걸을 수 있다. 마음이 점점 평화로워진다.

겨울 맨발걷기는 정복의 대상이 아니고 손을 잡아야 할 친구이다. 산을 좋아하는 사람들은 산을 정복한다는 말을 하지 않는다. 산이 허락하는 만큼, 봄, 여름, 가을, 겨울, 그 품에 안겨서 산과 하나의 마음이 되고 싶어 한다. 눈 내린 날 겨울 맨발걷기도 그런 산 사람의 마음을 닮아야 한다. 눈길이 허락하는 한 맨발로 걸어본다.

눈밭을 거칠게 뛰어다녀 발등까지 눈이 덮이게 하면 발등에서 녹은 눈 때문에 발이 훨씬 시리고 걷기 어렵다. 되도록이면 천천히 한 걸음, 한 걸음, 내 발에 집중한다. 내 발의 온도로 내가 걸었던 곳에 눈이 녹는 모습을 관찰할 수도 있다. 영하의 날씨에는 그곳이 다시 얼어붙는 것도 관찰할 수 있다. 눈이 내리기를 기다리자. 그리고 눈 쌓인 운동장을 걸어보자.

눈이 꽤 많이 쌓여있던 지방에서도 2월이 지나면서 응달을 제외하고 눈이 녹기 시작한다. 봄이 찾아오고 있는데 근린공원에는 아직 겨울의 눈이 남아 있다. 봄 햇살이 제법 따뜻하다. 그럴 때 일부러 그늘에 녹지 않은 눈을 찾아가 밟아보는 것도 큰 즐거움이다. 발이 시원해지고 촉촉해지는 느낌이다. 가는 겨울을 아쉬워하는 마음이 들기도 하고 제법 푹푹해진 봄 날씨에 머리까지 시원해지는 차가움을 만날 수 있다. 봄이 오는 길목에서 잔설을 밟아보는 맨발 산행의 묘미를 경험한 사람들은 해마다 그때 동네 뒷산을 찾는다고 한다. 그 무렵에만 체험할 수 있는 특별한 겨울 언저리의 눈길 맨발걷기 체험이다.

겨울 나무의 지혜

12월, 무성하던 여름의 잎들도, 가을의 풍성한 열매도 모두 떨어뜨린 겨울나무를 만난다. 앙상한 가지만 남은 나무는 텅 빈 들판에서 우리를 기다린다. 맨발걷기를 하면서 해마다 겨울이 되면 겨울나무를 닮고 싶어 진다.

어릴 때 즐겨 부르던 '겨울 나무' 노래의 가사다.

나무야 나무야 겨울나무야
눈 쌓인 응달에 외로이 서서
아무도 찾지 않는 추운 겨울을
바람 따라 휘파람만 불고 있느냐

평생을 살아봐도 늘 한자리
넓은 세상 얘기도 바람께 듣고
꽃 피던 봄 여름 생각하면서
나무는 휘파람만 불고 있구나

나무의 겨울나기는 그냥 허송세월이 아니다. 겨울을 겨울답게 이겨낸 나무는 내년 봄 예쁜 잎과 꽃을 피운다. 기후 이상으로 겨울이 평소보다 온도가 높은 해는 나무가 제대로 자라지 않는다. 다음 해 병충해도 심하고 꽃과 열매도 튼실하지 않다. 추울 때는 추워야 한다. 겨울의 나무는 온몸으로 온전히 겨울을 이겨내고 있다. 밀의 새싹을 따뜻한 실내에서 기르면 다음 해 여름이 되어도 꽃이 피지 않는다고 한다. 겨울 추위를 이겨내야만 밀의 꽃이 피고 열매를 맺는다. 나무만 그럴까? 사계절이 있는 우리나라는 겨울을 겨울답게, 여름을 여름답게 이겨내야 건강하게 생활할 수 있다.

겨울 나무를 다시 본다. 다 내려놓은 그 모습이 위대하게 여겨진다. 뭔가 근사해 보이던 꽃과 열매, 잎을 모두 내려놓은 겨울나무처럼 나도 소박하게 다 내려놓고 터벅터벅 걷는다. 늘 한자리를 지키는 저 나무처럼 오늘 나는 차가운 땅에 뿌리내리고 걷고 있다. 그리고 겨울나무와 더불어 철학자가 된다. 겨울 맨발걷기의 힘이다.

겨울을 난 나무는 매듭이 있다. 겨울은 매듭이 되고 시작을 받쳐준다. 매듭은 새로운 시작을 다짐하는 것이다. '

그래서 나는 이렇게 살아가겠다. 그래서 나는 이렇게 다시 시작하겠다.' 내일의 계획을 세우는 것이다. 새로운 다짐 역시 아름다운 매듭이다. 우리의 삶은 직선이 아니다. 매듭지어진 그곳에서 다시 새로운 삶이 시작된다. 아름다운 매듭과 새로운 시작은 한 점이다. 아름다운 매듭을 짓는 이 순간이 새로운 시작의 첫걸음이다. 온고지신(溫故知新), 오래된 과거가 미래를 준비하는 첫걸음이다. 0도와 360도는 같은 점에 있다.

3월이면 죽은 듯 보이는 마른 가지에 놀라운 일이 벌어진다. 새잎이 돋고 꽃이 핀다. 겨울을 이겨낸 긴 기다림으로 저 나무들도 지금은 아름다운 매듭을 만들고 있지 않을까? 바늘에 꿴 실을 손가락으로 돌돌 감아 마지막 매듭을 지어야 할머니의 바느질이 끝이 나는 것처럼. 겨울은 아름다운 매듭을 지을 때다. 봄은 저절로 다가오는 것이 아닌 두 발로 우뚝 서서 우리를 찾아온다. 입춘은 입춘(立春)이다. 입춘(入春)이 아니다. 두 발로 차가운 맨땅에 우뚝 서서 찬란한 봄을 기다린다. 저 나무처럼, 겨울 맨발걷기를 한 사람들에게 봄은 예사 봄이 아니다. 해 본 사람은 안다. 찬란한 봄의 느낌을.

다섯 번 째 계절은 꼭 맨발로 걷자

　우리 조상들은 음양오행의 원리를 설명할 때 화, 수, 목, 금, 토와 5개의 계절을 연결하여 이야기했다. 사계절만 알고 있는 현대인에게는 낯선 표현이다. 봄, 여름 가을, 겨울 말고 또 하나의 계절인 환절기(換節期)이다. 온도가 바뀌는 시기다. 옷가게에서 자주 듣는 '이 옷은 간절기에 입으면 좋은 옷이에요.' 할 때 간절기(間節期)는 정확한 표현이라고 할 수 없다. 계절과 계절 사이에 또 무슨 계절이 있다는 말인가?

　그럼 환절기는 언제이고 일 년에 몇 번 있는가? 봄에서 여름, 여름에서 가을, 가을에서 겨울, 겨울에서 봄, 4번 아닌가요? 아니다. 환절기는 1년에 2번 있다. 온(溫)에서 냉(冷)으로 바뀌는 가을에서 겨울, 냉(冷)에서 온(溫)으로 바뀌는 겨울에서 봄 사이를 말한다. 이 두 번을 환절기라 부른다. 가장 건강에 조심해야 할 시기이다. 맨발걷기를 했을 때 특별한 효과가 있는 계절이기도 하다. 물론 맨발 걷기를 할 때 특히 유의해야 할 시기이기도 하다. 오히려 겨울보다 이때 더 조심해야 한다. 겨울이 가고 봄이 올 무렵, 가을이 가고 겨울이 올 무렵 말이다. 가을비 한 번에 겨울이 성큼성큼 온다고 했다. 특히 최근에는 지구온난화로 예전보다 봄, 가을이 짧다. 한 여름처럼 더웠다가 갑자기 서늘하기도 하고 봄인가 싶어 얇은 옷을 입고 외출했는데 겨울보다 더 차가운 꽃샘추위가 오기도 한다. 몇 년 전 복 사꽃 축제가 있다고 해서 경북 영덕 쪽으로 봄 여행을 갔던 지인이 복숭아꽃 위에 소복이 쌓인 눈 사진을 보내오기도 했다. 낮과 밤의 온도 차가 크고, 하루 사이에도 기온 변화가 심한 만큼 내 몸의 면역력이 중요한 시기이다. 하루에 20도 이상 기온 차가 날 때도 있다. 건강에 각별한 주의와 관리가 필요한 때이다.

겨울은 우리의 몸이 겨울로 적응이 되어있다. 몸뿐만 아니라 뇌도 적응이 되어있다. 맨발걷기를 하다 감기에 걸렸다고 하는 사람은 대부분 가을에서 겨울로 갈 때나 겨울에서 봄으로 옮겨 갈 때이다. 일교차가 심할 때 옷을 가볍게 입고 나가서 어실어실하게 온몸이 추운데 무리하게 맨발로 걸으면 감기에 걸리는 사람이 있다. 감기에 걸린 사람도 옷을 따뜻하게 입고 맨발걷기를 하면 감기 증상이 완화되는 현상과 비교해 보면 우리 몸이 준비된 상태로 맞이하는 기온의 변화와 그렇지 않을 때는 차이가 크다.

겨울은 몸과 뇌에서 무장이 되어 있어서 감기에 잘 걸리지 않는다. 강한 적이 쳐들어와도 완벽하게 무장하고 몸과 마음에서 철저하게 준비하고 있으면 적을 막아낼 수 있다. 아무 준비 없이 무방비로 있다가는 허술한 틈을 타 내 몸에 찬 기운이 들어와 감기가 된다. 이 원리를 잘 이해해야 한다. 나는 지난 10년 동안 맨발학교를 운영하면서 겨울에 맨발걷기로 감기에 걸렸다는 사람을 거의 보지 못했다. 환절기 맨발걷기를 할 때는 몸의 보온을 유지할 수 있는 따뜻한 복장이 중요하다. 맨발걷기 하러 나왔는데 몸이 약간 춥다고 느껴지면 복장 불량이니 바로 집에 가서 따뜻한 옷을 입고 다시 나와야 한다. 맨발걷기 할 때 주의해야 할 계절은 겨울이 아니고 오히려 환절기이다.

환절기의 맨발걷기는 주의사항만 있는 게 아니고 특별한 선물이 주어진다. 겨울에서 봄으로 바뀌는 2월과 3월, 4월 초 어느 날까지 느낄 수 있는 땅의 느낌은 특별하다.

만물이 소생하는 봄, 긴 겨울을 이겨낸 생명들이 새싹을 틔우는 시간, 일찍 새 잎이 나오는 나무에 연둣빛 잎이 보이는 그때 맨발걷기를 해보라. 겨우내 얼었다 녹았던 동네 뒷산 산길은 스펀지 위를 걷는 느낌이다. 예민한 사람들은 발바닥이 간질간질하게 느껴진다고도 한다. 긴 겨울 맨발걷기로 단련된 몸이 특별한 봄을 맞이하는 기분은 겨우내 죽은 것 같았던 나무에 새 잎이 돋는 느낌이다. 겨울 맨발걷기를 하면 내 인생의 가장 찬란한 봄을 온몸으로 만날 수 있다. 꽃샘추위 때 느끼는 추위는 봄을 품은 차가움이다. 생명력이 내 발로 전해져 온다. 이른 봄, 맨발을 걸으면서 만나는 제비꽃, 민들레꽃, 봄까치꽃은 시를 쓰게 하는 힘이 있다.

가을에서 겨울은 어떤가? 색다른 맨발걷기의 맛이 있다. 무서리가 내리고 아침저녁은 쌀쌀하고 여름의 생명력으로 가득 찼던 들판이 텅 비워지는 것을 보면서 맨발로 걷는 것은 또 다른 배움이 있다. 삶을 돌아보고, 맨발걷기 명상을 하기에는 좋은 계절이다. 굳이 명상을 하려고 마음먹지 않아도 된다. 옷깃을 스치는 바람이 차가워지기 시작하면 자연에 대한 감사함으로 한 해를 돌아볼 수 있게 된다. 발아래 떨어진 마른 낙엽들을 밟는 바스락 거리는 느낌도 좋고 겨울을 준비하는 자연과 함께 성숙된 나 자신을 만날 수 있다. 늦가을 비라도 내리면 그 차가움이 발바닥을 통해 전해져 머리가 맑아지는 것을 느낀다. 가을과 겨울 사이, 우리는 맨발걷기를 통해 생각이 깊어지고 감사함을 느끼며 또 한 번 성숙해진다. 맨발걷기는 단지 몸의 건강만을 위해 하는 것이 아니다. 내 삶의 수준을 높이고 자연을 닮아 성숙해지는 시간이다.

겨울 맨발걷기로 36.5도 체온 유지하기

우리가 교과서에서 배운 36.5도라는 인간의 체온을 지키고 있는 현대인들은 생각보다 아주 적다고 한다. 현대인의 평균 체온은 36.5도 보다 무려 1도가 낮은 35도 정도라고 알려져 있다. 체온이 1도 떨어지면 면역력이 30퍼센트 이상 줄어들어 질병에 걸릴 위험이 훨씬 높아진다. 반대로 체온 1도가 올라가면 면역력이 5배가 좋아지고 회복력이 몰라보게 높아진다. 면역력이 높아지면 각종 세균이나 바이러스에 노출되어도 질병에 걸릴 위험성이 훨씬 적어진다. 그래서 적정체온 36.5도를 유지하려는 다양한 노력을 하고 있다. 체온 저하는 감기를 비롯해 각종 질병을 유발한다.

체온을 높이려면 따뜻한 마음을 먹고, 좋은 음식을 먹는 것이 필요하다. 거실에서는 따뜻하게 지내고 찬 겨울 밖에서 활동할 때는 추워서 떨지 않도록 보온에 신경 써야 한다. 내가 어릴 때는 난방이 제대로 되지 않아 겨울밤 이불 속에 들어가면 처음에는 추울 때가 많았다. 한참 누워있으면 내 몸의 열 때문에 이불 속이 따뜻해지고 잘만할 정도가 되었다. 외부의 열로 내 몸이 더워질 때 체온이 올라가는 것이 아니고 오히려 조금 춥다 싶은 온도를 견뎌낼 때 체온이 올라가는 상황이다. 어릴 때 우리 할머니는 아이를 너무 따뜻하게 키우면 오히려 감기가 잦다고 말씀하셨다.

　따뜻한 곳에 있으면 체온이 올라갈까? 만약에 그렇다면 예전보다 훨씬 난방이 잘되는 현대인들의 체온이 더 낮을 리가 없지 않은가? 체온은 몸 안에서 유지되어야 한다. 난로 앞에 오래 앉아있다고 내 오장육부에서 열이 나는 것이 아니다. 스스로 체온을 올려야 한다. 우리 몸에 체온을 올릴 수 있는 곳은 세 군데이다. 심장, 근육, 장이다. 우리 몸의 근육의 많은 부분은 하체를 중심으로 발달하였기 때문에 하체를 많이 쓰는 맨발걷기를 통해 체온이 유지될 수 있다. 그리고 발바닥 자극이 뇌로 전달되면서 장기에 영향을 미친다. 초보자들이 저녁 식사 후 맨발로 걸으면 방귀가 많이 나오고 배가 편안하다는 말을 자주 한다. 그런 현상에서도 쉽게 짐작해 볼 수가 있다. 맨발걷기로 장이 편안해지고 제대로 기능을 한다는 것은 체온을 올리는 데 긍정적인 영향을 주고 있다는 것을 알 수 있다. 특히나 겨울 맨발걷기는 차가워진 발에 빨리 혈액을 보내기 위해 우리 몸은 비상체제의 움직임을 하게 된다. 그래서 찬 땅을 맨발로 걷는 겨울 맨발걷기를 지속적으로 실천하면 체온을 올리는 데 도움이 된다. 나이가 들수록 체온이 떨어진다. 노인은 젊은 사람보다 체온이 평균 0.5도 정도가 낮다고 한다. 체온이 떨어진 사람들이 느끼는 몸의 증세는 '몸이 무겁다.'이다. 어르신들이 자주 하는 이야기가 몸이 무겁다이고 젊은 사람들도 컨디션이 안 좋은 날은 '내 몸이 천근만근이다.'라는 말을 하기도 한다. 몸이 무겁다고 여겨지면 맨발로 천천히 걸어보자. 꾸준히 실천하면 몸이 가볍다고 여겨진다.

수승화강이 되지 않으면 병에 걸리기 쉽다. 물의 기운은 위로 올라가고 불의 기운은 아래로 내려가야 한다. 화가 났을 때 머리가 뜨거워지고 위험해지는 것도 이와 같은 이치다. 물의 시원함을 위로 올려 머리도 평화롭게, 심장도 안정적으로 뛰게 하고 불의 기운은 아래로 내려야 한다. 겨울 맨발걷기는 '수승화강(水昇火降)'할 수 있는 아주 좋은 방법이다. 갑작스러운 스트레스로 원형탈모가 된 어떤 회원이 겨울 맨발걷기로 치유된 사례는 이런 의미로 해석해 볼 수 있다. 그래서 나의 제자 중 한 명은 겨울 맨발걷기를 하고 나니 머리에서 박하향이 난다고 했다. 싸아한 시원함, 느껴보지 않고는 공감하기 어려운 표현이다. 나의 발바닥에서 받아들이는 에너지로 장이 따뜻해지는 일들이 지속되면 언젠가 나의 체온이 조금씩 높아지는 날이 올 것이다.

체온은 마음 상태와도 연결된다. 무서우면 온몸이 떨린다. 소름이 돋기도 한다. 좋은 사람과 있으면 마음이 따뜻해지고 체온도 올라간다. 싫은 사람을 만나면 체온이 떨어진다. 감사한 마음으로 좋은 사람과 함께 맨발걷기를 하면 우리 몸의 체온을 유지할 수 있다. 겨울에도 반팔을 입고 지낼 만큼 난방이 잘 된 실내에서 지낸다고 체온이 높아지지 않는다. 오히려 동상이 걸릴 것 같은 두려움을 이겨내고 감사한 마음으로 맨발로 맨땅을 걷는 겨울 맨발걷기는 체온을 높일 수 있다.

겨울 맨발걷기는 명상의
시간이다

생각이 많다. 걱정도 많다. 직장 걱정, 집 걱정, 자식 걱정, 노후 걱정, 건강 걱정, 머리를 흔들어보아도 생각이 이어지고 걱정이 끊이지 않는다. 머리를 맑게 하고 마음을 안정시키기 위해 명상을 한다. 그런데 그 명상이 쉬운 것 같지만 쉽지가 않다. 혼자의 힘으로 지속하기도 어려울 수 있고 몸에 체득되기까지 시간이 필요하다.

명상은 내 마음에 떠오르는 어떤 생각을 잠시 내려놓고 지금에 집중하는 것이다. 무념무상(無念無想)의 상태가 되면 된다. 념(念)은 내 의지와 상관없이 떠오르는 생각, 즉 잡념이다. 상(想)은 내 의지가 반영된 생각이다. 무념무상은 내 의지와 상관없이 떠오르는 생각이던 내 의지로 생각하는 것이든 잠시 멈추는 것이다. 명상(冥想)할 때 명은 밝은 명(明)이 아니고 어두울 명(冥)이다. 자식 걱정, 사업 걱정, 돈 걱정, 집 걱정, 성적 걱정, 사람 걱정 등으로 이어진 수많은 생각의 회로를 일시에 차단하는 일, 그리고 현재에 깨어 있는 것이다.

봄, 여름, 가을 퇴근길 동네 맨발길을 찾아간다. 맨발걷기를 시작한다. 내 몸과 내 발에 마음을 모으고 싶지만 걷는 동안 이 생각 저 생각을 하게 된다. 하루를 돌아보고 내일을 계획하고 자연을 느낀다. 그러다 보면 한 시간이 지나간다. 한 시간이 지나고 나면 더 이상 생각이 일어나지 않을 때가 있다. 처음에는 몰랐는데 맨발걷기를 몇 년 하고 나니 알게 된 사실이다. 오늘의 반성과 내일의 계획을 맨발로 1시간 걸으면서 하게 되는구나. 그런 시간을 충분히 가지고 나면 마음의 평화가 오고 발도 땅에 적응하고 무념무상의 순간이 오는구나. 호흡에 집중하려고 애쓰지 않아도 발걸음에 천천히 호흡을 맞추게 될 때도 있다.

겨울 맨발걷기는 다르다. 색다른 기쁨이 있다. 겨울 퇴근길, 보온을 위해 옷을 잘 챙겨 입고 학교 운동장을 찾아간다. 맨발로 운동장을 천천히 걷는다. 겨울 운동장은 봄, 여름, 가을과 다르다. 곧 발이 시려온다. 저절로 내 모든 생각은 차가워진 발로만 향한다. 천천히 걷다 보면 굳이 명상을 하려고 들지 않아도 잡념이 끊기고 생각이 줄어든다.

추운 겨울에 맨발로 땅을 밟으면 저절로 강력한 명상의 시간을 갖게 된다. 발이 시려오고 다시 발바닥이 따뜻해지는 경험을 하게 된다. 그 순간 온몸과 마음이 내 몸에 집중하고 생각이 단순해진다. 아주 추운 겨울밤의 맨발걷기는 세상으로 연결된 모든 전기회로가 일시에 끊어지는 듯한 느낌을 받게 된다. 겨울 맨발걷기를 통해 강력한 명상의 힘과 맑은 뇌의 느낌을 체험할 수 있다. 그래서인지 겨울 맨발걷기를 하고 나면 머리가 맑아지고 평화로워지며 깊은 잠을 잘 수 있다는 체험담을 자주 듣게 된다. 좋은 약은 늘 쓰다. 겨울 맨발걷기는 좋은 약과 같다.

2부
생각보다 좋은
겨울 맨발걷기

대한민국 맨발학교 맨발걷기란?

　얼마 전 경북인재개발원 박후근 원장을 만났다. 그는 정부차원의 한지(韓紙) 정의가 없다는 것을 안타까워하였다. 문방사우(文房四友)는 지필연묵(紙筆硯墨)이다. 종이가 가장 먼저 나온다. 천년을 간다는 한지는 이 땅에서 자란 닥나무 줄기를 원료로 껍질을 벗기고 삶고 녹여 풀처럼 된 것을 펴서 건조하는 방식으로 만든다. 그래서 한지는 숨을 쉬는 종이로 뛰어난 보존력을 가진다. 일본의 화지(和紙), 중국의 선지(宣紙)와는 결이 다른 섬세함과 내구성을 가지고 있다. 그는 현직 공무원으로서 7년간 연구한 내용을 담아 전통 한지 진흥 정책 대안을 제시하는 책 〈세계 최고의 종이 한지, 정책이 필요하다〉를 출간하였다. 한지에 대한 정부차원의 정의가 없다 보니 우리가 '한지'라고 사서 쓰고 있는 종이 중에는 100퍼센트 태국산 닥나무로 만든 것도 많다고 한다. 이러한 종이가 한지로 시중에서 유통될 수 있는 것은 제대로 된 한지의 정의가 없기 때문이라는 것이다. 박후근원장은 문화체육관광부가 정한 전통문화 6대 브랜드 한복, 한식, 한옥, 한지, 한글, 한국음악 중에 '한지'에 관한 중앙 정부 차원의 정의조차 없다는 것을 안타까워하면서 지금이 전통 한지 정책의 대전환이 필요한 시점이라고 주장했다. 진정한 한지란 우리 땅에서 자란 닥나무 재료로 우리의 방식으로 만든 종이어야 한다는 것이다.

그분과 이야기를 나누는 내내 우리가 지금 하고 있는 맨발걷기 문화에 대해 생각하지 않을 수 없었다. 우리의 맨발걷기는 삼원론에서 시작한다. 지금 우리는 우리의 뿌리인 천(天), 지(地), 인(人)의 마음으로 맨발로 맨땅을 걷고 있다. 맨발로 맨땅을 걸으면 코로 숨을 쉬며 하늘을 만나고, 천(天), 맨발은 땅을 만나고 지(地), 하늘과 땅을 잇는 사람 인(人)과 하나가 된다.

우리가 하고 있는 맨발걷기는 좋은 생각을 갖게 하고(智) 좋은 마음을 먹게 하고(德) 좋은 몸을 만들어주는(體) 것이다. 우리가 지향하는 맨발걷기는 좋은 생각으로 우주와 만나고 좋은 마음으로 이웃과 만나고 좋은 몸으로 땅을 만나 맨발로 걷는 것이다. 선조들의 정신을 오롯이 이어가고 있는 지금 우리의 맨발걷기를 대한민국 맨발걷기 즉 'K맨발걷기'로 이름 짓고 분명한 정의를 내려야 할 필요를 느꼈다. 맨발걷기를 국민 건강과 교육문화로 펼치고 있는 대한민국 맨발학교에서 꼭 해야 할 일이라고 여겨졌다. 정부차원의 '한지'에 대한 정의가 필요한 것처럼 지금 우리가 하고 있는 맨발걷기에 대한 분명한 정의가 필요하다.

대한민국 맨발학교에서 정의하는 맨발걷기는 "내가 만나는 모든 자연에 감사하고 내 몸 안의 자연치유력을 믿고 맨발로 맨땅을 걷는 것"이다.

"맨발걷기가 뭐예요?"라고 물으면 "내가 만나는 모든 자연에 감사하며 내 몸 안의 자연치유력을 믿고, 맨발로 맨땅을 걷는 것"이라고 자신 있게 답하여야 한다. 우리 대한민국 맨발학교가 세운 맨발걷기의 정의가 K팝처럼 K맨발걷기가 세계 속에 빛나는 한류 문화로 뻗어나가는 데 의미 있는 이정표가 되리라 믿는다.

K맨발걷기는 내가 만나는 모든 자연에 감사하며 내 몸 안의 자연치유력을 믿고 맨발로 맨땅을 걷는 것이다.

첫째, 감사함이 있어야 한다. 어떤 땅을 만나도, 어떤 숲을 만나도, 어떤 바다를 만나도 모든 인연에 감사함을 가지는 것이 중요하다. 맨발로 만나는 풀 한 포기, 이슬 한 방울에도 감사해야 한다. 맨발로 만나는 달빛과 아침 햇살에게도 감사해야 한다.

둘째, 내 몸 안의 자연치유력을 신뢰하는 것이다. 내 몸과 대화하고 내 몸을 칭찬하고, 내 몸의 반응에 귀 기울이며 내 몸의 온도와 통함으로써 내 몸 안에 있는 의사를 깨우는 것이다. 내 안의 자연치유력을 신뢰하는 것은 동학의 인내천(人乃天) 사상과 통한다. 내가 곧 하늘이다. 내 밖의 하늘인 자연에 감사하고 내 안의 하늘인 자연치유력을 믿으며 땅에 발을 내딛는 것이다.

셋째, 맨발로 맨땅을 걷는 것이다. 맨발로 맨땅이어야 한다. 보도블록이나 인조잔디가 아닌 자연이 준 그대로의 땅을 걷는 것이다. '맨'은 힘이 있다. '다른 것은 섞이지 아니하고 온통' 맨의 사전적 의미이다. 다른 것은 섞이지 않은 순수의 무엇이 '맨'의 느낌이다. 내 몸의 순수함인 맨발로, 순수한 땅인 맨땅을 만나는 것이다.

인간이 만든 거대한 콘크리트 도시에서 잠시 벗어나 맨땅을 찾는 순간이 필요하다. 맨땅 맨발걷기는 매일 먹어도 싫증 나지 않는 맨밥처럼 매일 걸어도 싫증 나지 않는다.

다소 심심한 맛이지만 꼭꼭 씹으면 단맛이 나는 맨밥처럼 쉽고 단순한 맨발걷기지만 걸으면 걸을수록 마음이 평화로워진다. 내 안의 우주를 만난다.

의관을 잘 갖춘 미륵부처님은 늘 맨발로 서 계시고 우리가 접하는 사진 속의 예수와 붓다는 늘 맨발이다. 진리는 단순하다. 복잡하지 않다. 인간이 맨발로 땅 위를 걸으며 살아야 하는 것은 단순한 진리다.

10년 전의 예언, 10년 후의 예언

2013년 내가 처음 맨발학교를 만들고 맨발로 걸었을 때만 하더라도 맨발로 걷는 사람은 거의 없었다. 대부분 낯선 시선으로 바라보았다. 새벽 일찍 맨발로 걷던 회원은 이상한 사람으로 취급받기도 하였다. 그때 나는 이런 말을 한 적이 있다. 지금은 맨발로 걷는 사람이 없지만 10년만 지나면 수많은 사람들이 맨발로 걸을 것이라고.

10년이 지난 지금 나의 예언은 이루어졌다. 많은 사람들이 맨발로 걷고 있다. 그 당시 낯선 시선들은 모두 어디로 갔는가? 맨발로 걷는 사람을 낯설게 보거나 이상한 사람 보듯이 하던 시선들이 많이 줄어들었다. 오히려 그렇게 쳐다보던 사람들 중에서 맨발걷기를 하고 있는 사람들도 꽤 많이 생겼다. 이런 변화는 어디서 온 것일까?

"교수님 맨발학교가 10년 동안 열심히 맨발걷기를 알리니 세상이 많이 변했네요. 이제 맨발걷기 하는 사람이 진짜 많이 보여요. 교수님 덕분입니다."

그렇지 않다. 맨발걷기가 세상에 널리 알려지게 된 것은 우리 모두가 가진 홍익의 마음 덕분이다. 정부의 정책으로는 실현되기 어려운 일이어도 좋은 것을 서로 나누려고 하는 마음이 있어 그 마음이 세상의 좋은 문화를 만들어 놓은 것이다. 우리의 사회가 변화되려면, 제도나 정책만으로는 어려울 때가 있다. 좋은 문화가 확산되어야 한다.

"친구야 맨발로 한번 걸어봐. 나는 맨발로 걸어서 기분이 좋아졌어."

"엄마, 맨발로 걸어보세요. 불면증 해소에 좋대요."

"아빠, 맨발걷기 해보세요. 고혈압도 개선된대요."

주위의 사람들이 건강해지기를 바라는 마음으로 진심으로 맨발걷기를 전해주었기 때문이다. 맨발걷기 뿐만 아니라 우리 사회의 모든 분야가 어떤 이익이나 편견 없이 순수한 마음이면 좋은 문화가 확산될 수 있을 것이다. 나도 맨발학교를 만들어 돈을 벌거나 물건을 팔려고 하지 않았다. 오히려 맨발학교 운영 경비를 사비로 쓴 적이 많다. 그러나 맨발걷기를 세상에 알리고 싶은 마음이 커서 한 번도 아깝다고 여겨지지 않았다.

10년 전 어느 날 내 친구가 맨발걷기를 하다가 의사 선생님이 맨발걷기를 하지 말라고 했다면서 그만둔다고 했다. 맨발걷기를 잘 실천하다가도 소위 전문가 분이 한마디 하면 그날로 멈추게 되는 경우가 있다. 그래서 나 혼자 맨발걷기를 하면서 5년을 알려줘도 내 주위에는 맨발걷기를 실천하는 사람이 몇 사람 되지 않았다. 그 당시 맨발걷기를 하면 큰일 난다는 사람들은 대부분 의사, 한의사, 체육전공 전문가, 스포츠 관련 전문가 등 나름 그 분야의 전문가였다. 10명 중 9명은 맨발걷기는 하지 말라고 하였다. '흙이 더럽다. 위험하다. 찔리면 파상풍 걸린다. 무릎에 부담을 주어 관절을 망친다.' 등의 이유였다.

많은 사람들이 맨발걷기의 위험성만 이야기하던 시절, 맨발학교를 만들어 내 친구와 걷고 내 제자와 걸었다. 내가 온몸으로 느끼고 깨달은 맨발걷기, 세상 모든 사람이 공짜로 건강해질 수 있는 바른 맨발걷기를 전하고 싶었다. 전문가의 말보다 더 강력한 것은 맨발걷기를 실천한 사람의 진심이었다. 맨발걷기를 만나 자신의 몸과 마음이 좋아진 사람이 진심으로 다른 사람에게 전하고 그 진심을 받아들여 맨발로 걸어보고 또 누군가는 마음이 편안해지고 몸이 좋아져서 또 누군가에게 진심으로 전해주었다. 진심은 반드시 통한다는 말을 나는 누구보다도 절실히 느끼고 있다. 우리나라에서 전문가의 말을 듣지 않고 자신의 경험에서 나오는 진심의 마음으로 세상을 바꾼 예는 찾아보기 힘들다. 맨발걷기는 이러한 과정으로 건강 문화로 확산되고 있다.

내가 이 책을 내면서 겨울 맨발걷기에 대한 또 다른 예언을 하려고 한다. 최근 들어 많은 사람이 맨발걷기를 한다. 내가 따로 이야기하지 않더라도 쏟아지는 맨발걷기 정보를 들어서 나름 좋다는 것을 알고 있다. 나는 요즘 겨울 맨발걷기에 대한 강의를 많이 한다. 겨울이 다가오니 겨울 맨발걷기에 대한 공부를 하고 싶어 하는 사람들이 많다. 강의를 하다 보면 맨발걷기에 익숙한 사람들이지만 겨울 맨발걷기는 할 수 없는 것이라고 여기는 사람들을 많이 만난다. 지금 겨울 맨발걷기를 낯설어하는 것처럼, 10년 전에는 맨발걷기를 낯설어했다.

'맨발로 걸으면 동상에 걸린다. 몸에 냉기가 들어온다. 겨울 맨발걷기는 부작용이 크다.'

전문가들의 의견이다. 10년 전 맨발걷기의 부작용에 대해서만 이야기했던 때와 유사하다. 의사도 있고 한의사도 있고 겨울 맨발걷기는 하지 않고 오랫동안 맨발걷기를 했다는 전문가도 있다.

"10년 뒤에는 지금 봄, 여름, 가을에 맨발로 걷는 사람만큼 겨울에도 맨발걷기를 하는 사람이 늘어날 것이다. 10년이 걸리지 않을 수도 있다."

어쩌면 10년 뒤에는 겨울 맨발걷기를 비롯한 한국의 K 맨발걷기가 면역력을 높이고 마음을 평화롭게 하는데 지대한 영향을 미치는 좋은 건강 문화라는 사실이 세계로 알려질지도 모른다. 방탄소년단이 세계를 휩쓸 줄은 10년 전에는 꿈에도 생각하지 못했던 것처럼.

이제 K-맨발걷기다

드라마 『대장금』에서 장금이가 성공하여 어의가 되고 왕의 건강을 염려하는 장면이 있다.

"전하 옥체를 강건케하는 것은 전하 스스로 하여야 하옵니다."

그러면서 장금이는 왕에게 맨발걷기를 안내하고 왕은 궁궐 뜰에서 장금이의 조언대로 천천히 맨발걷기를 하는 장면이 나온다. 오래전 드라마를 다시 보는 데 우연히 이 장면을 보고 반갑고 놀라웠다. 최근에 '맨발걷기'가 유행처럼 번진다고 하는데 최근에 갑자기 시작된 것이 아니라는 것을 보여주는 장면이었다.

일만 년 전의 우리 민족의 고서에 인간과 하늘과 땅의 연결이 나온다. 천부경(天符經) 81자에는 '인중천지일(人中天地一)'이 나온다. 사람 안에 하늘과 땅이 있다. 사람은 가운데(中)에서 하늘과 땅을 하나로 만든다. 사람 속에 천지가 하나 되어 존재한다 등으로 풀어볼 수 있다.

우리 선조들과 맨발걷기는 뗄 수 없는 사이다. 맨발걷기는 우리의 것이다. 맨발로 걸으면 뇌하수체에서 세로토닌이 더 많이 나온다는 것을, 맨발로 흙을 밟았더니 흙속의 마이코박테리움 백케이가 우리 몸에 들어와 행복하게 만들어 준다는 것을, 땅속의 음이온을 접하는 것을 어싱이라 부르는 것을 몰랐다고 해도 맨발걷기는 우리의 것이다.

이 땅에서 살아왔던 우리의 선조들은 오랜 시간 흙의 소중함을 알았고 그 흙을 함부로 여기지 않았으며 어려운 용어로 명명하지 않았지만 맨발로 걸으면 뇌의 균형 자극이 이루어지고, 흙의 유익균이 건강에 도움이 됨을 알고 생활 속에서 실천하고 있었다. 어싱이라는 용어를 쓰지 않았지만 '지구 어머니'의 힘을 믿었다. 우리 조상들은 통찰력으로 다 알고 있었다. 그래서 오랫동안 무술을 한 사람들은 맨땅에서 맨발로 무술을 연마하였고, 우리 할머니도 아픈 사람은 강변에 가서 모래 찜질 하고 오면 병이 낫는다고 하셨다. 집집마다 어릴 때부터 아이들은 흙에서 놀았다. 흙이 더럽다고 멀리 하지 않았다.

지금도 동남아에 가면 병원이 없는 시골에서는 아픈 사람을 목만 내놓고 땅 속에 들어가게 해서 흙으로 온몸을 감싸게 한다. 인디언들도 아픈 사람은 온몸에 흙을 덮는 민간요법이 있다. 흙을 가까이 한 역사는 오래전부터 세계 각국에서 행해져 왔다.

나는 23년을 맨발걷기를 하면서 맨발걷기의 뿌리가 어디일까 궁금하였다. 많은 역사책을 탐독하였다. 특히 상고사에 대한 공부는 수년간 하였다. 여러 가지 자료를 찾아본 결과 맨발걷기는 놀랍게도 우리의 것이었다.

우리는 하늘, 땅, 인간을 원론으로 하는, 즉 삼원론을 기반으로 한다. 천부경에도 '인중천지일(人中天地一)'이라는 땅의 이야기가 나온다. 예전에는 하늘(ㆍ)과 땅(ㅡ)을 잇는(工) 사람을 무인(巫人)이라고 하였다. 부처님도 예수님도 오시기 전의 일이니 우리의 머릿속에 있는 지금의 무당과는 다른 의미이다. 하늘과 연결하고자 안테나와 같은 상투를 틀어 머리에 올리고 살았고 우리나라의 무술고수들은 주로 맨발로 무술을 연마하였고, 이러한 사진이나 문헌들은 여러 곳에서 찾아볼 수 있다. 그 기원이 어디까지 가는지 계속 올라가면 '천부경(天符經)'에 이르게 된다.

실제로 어느 날 KBS 방송에 어떤 할머니가 출연을 하서서 아픈 사람들에게 황토를 온몸에 덮는 민간요법을 선보이는 장면을 보았다. 속옷차림으로 황토에 누우면 황토로 온몸을 덮는다. 목까지 황토로 덮기 때문에 '황토욕'이라 부르는데 우리 조상들이 물려준 민간요법이라고 했다. 우리 조상들은 황토가 좋다는 것을 어찌 알았을까? 현미경도 없는데. 황토의 분자 구조가 다른 흙과 다르다는 것을 어찌 알았을까? 온몸을 황토로 덮으면 접지가 더 잘되는 것을 어찌 알았을까? 우리는 이것을 오랫동안 민간요법으로 물려받아왔다. '어싱'이라고 우리나라에 널리 알려지기 전에도 말이다. '세로토닌, 마이코박테리움 백케이, 어싱' 이런 생소한 말들이 나오면 그것이 더 깊은 뜻이 있는 양 움츠려든다.

한때는 우리 것을 창피해했다. 김치, 된장, 고추장은 창피하게 생각하고 햄버거, 피자, 스테이크는 좋아 보이고 그것이 고급진 음식이라고 여기기도 했다. 김치, 된장, 고추장이 창피하다고 생각하였지만 깨닫고 보니 좋은 발효 음식임을 알게 된 것이다.

텔레비전에 나온 그 할머니는 이렇게 말씀하셨다.

"땅에 있는 좋은 균이 우리 몸의 나쁜 균을 뽑아내어 병이 낫는 거야.”

얼마나 쉽게 설명하는가? 우리는 현미경이 없어도 삶에서 얻은 지혜로, 통찰로 알고 있었다.

나는 '맨발걷기'라는 우리말을 좋아한다. 맨발걷기를 '어싱'이라고 표현하기도 하는데 어싱은 맨발걷기의 5분의 1 정도를 차지한다. 다시 말하지만 맨발걷기를 정확히 이해하려면, 뇌과학, 흙, 접지, 온기 냉기와 운기, 경락 공부 등을 종합적으로 해야 한다.

맨발걷기를 대중들에게 전하면서 꼭 외국에서 온 것처럼 알리는 사람은 맨발걷기의 뿌리 공부부터 먼저 하여야 한다. 지금 우리나라에서 일어나고 있는 맨발걷기 문화가 곧 세계로 뻗어나가 자신을 사랑하고 지구를 사랑하는 미래지향적인 하나의 문화가 될 것이라 확신한다. 문화체육관광부에서는 현재 전통문화 6대 브랜드에 맨발걷기를 추가하여 흙을 사랑한 우리 선조들의 지혜를 후대에게 온전히 물려주고 합당한 가치를 부여해야 한다고 여겨진다.

각자의 꽃으로 세상을
아름답게

전남 곡성에 가면 심허당(心虛堂) 빛살 김재형 선생님
이 계신다. 그가 대표로 있는 이화서원은 세상에서 쉽게
볼 수 없는 특별한 공동체이다. 이화서원 식구들이 지은 "
이화서원"이란 제목의 노래가 있다.

이화서원 오는 길은 장미 활짝 펴있고
냇물 따라 걷다 보면 고운 달이 떠 있지.

모든 마음 비워내면 언제나 열리는
반겨주는 네 개의 원 텅 빈 대유공간

하늘과 땅 그 사이를 잇는 배움의 기쁨
한들한들 불어오는 지혜, 바람의 마음

꿈과 이상 우리 마음 함께 나아가는

마음과 마음 이어지며 선물 나누는 우리

이 노랫말은 맨발학교의 마음이기도 하다. 하늘과 땅을 잇는 맨발걷기를 통해 하늘과 땅에 우뚝 선 자립을 꿈꾼다. 함께 한 걸음 한걸음 나아가며 온몸으로 배우는 기쁨을 누리는 것이 우리 맨발학교가 지향하는 방향이다.

빛살 선생님은 강의를 열면서 30대 이하의 청년 수강생에게는 강의비를 받지 않거나 소액만 받았다. 그 청년의 강의료는 형편이 되는 다른 어른들이 내는 강의료에서 일부를 청년에게 자연스럽게 기부하는 구조로 되어 있었다. 청년들에게 동아시아의 위대한 문화를 알려주고 함께 공부하길 바라는 마음에서라고 했다. 최근 "동학편지"라는 책을 다시 내고 우리의 뿌리와 시대정신을 대중에게 알리는 일을 하고 계신다. 그분은 뵐 때마다 사람의 향기와 선비의 향이 느껴지는 분이다. 나의 시집 "연둣빛 그리움"의 발문을 마음 다해 써 주신 인연으로 감사한 마음을 늘 갖고 살아간다. 그는 발문에서 우리 맨발학교가 공동체로서 나아갈 길을 지지하고 응원해 주셨다.

저는 문학 평론가가 아니고 '인문 운동가'입니다. 고전을 읽고 재해석하고 오래된 지혜를 시대의 언어와 삶으로 실천하는 일을 합니다. 동아시아 지 식인의 전통 중 하나인 선비의 삶을 따릅니다. 선생님과 저를 연결하는 지점은 이 부분일 겁니다. 선비는 기회가 주어지면 기꺼이 나아가 서 해야 할 과제를 하고 때가 다하면 물러나서 자연을 느끼고 이웃을 돌봅니다. 이 둘은 동전의 양면처럼 이어져 있고 단지 때에 맞는 과제를 할 뿐입니다. 선생님의 중요한 시대 과제 중 하나는 '맨발걷기'입니다. 10여 년 전 맨발학교의 첫 학생으로서 신발을 벗고 맨발로 땅을 걷는 걸음을 걸으면서 상상한 교육적 상상력이 지금 이렇게 확대될 거라고는 누구도 예상하지 못했을 겁니다. 맨발 학교는 의미 있는 교육적 기획이고 시민들의 자발적인 삶의 전환 운동으로 자리 잡았습니다.

처음에 가을비 소리를 들으며 혼자 걸었던 걸음은 하늘과 땅을 이었고 수많은 사람들을 이었습니다. 어떻게 이런 일이 생길 수 있나? 아무것도 하지 않는데 모든 것이 그 안에 다 들어 있는 어떤 일을 만들어 낼 수 있습니다. 자연스러운 변화가 일어납니다. 세상을 변화시키는 중요한 방법 중 하나는 자연스럽게 물들어 가게 하는 일입니다.

선생님의 교육적 이상은 물듦의 교육입니다. 꽃잎을 손톱에 물들이듯이 자연스럽게 마음을 물들일 수 있다고 생각합니다. 만약 그 물들임에 포근함이 더해진다면 깊은 내면의 치유까지 가능해집니다. 맨발 학교 이야기에는 내면의 치유 이야기가 가득합니다.

    – 시집 『연둣빛 그리움』의 발문 중에서 –

최근 그분이 대표로 있는 이화서원의 비전을 전해 듣고 깜짝 놀랐다.

"각자의 꽃으로, 세상을 아름답게!"

놀랍다. 내가 대한민국 맨발학교를 만들면서 바탕에 둔 비전이 '홍익'의 세상이다. 그릇에 물이 넘쳐 세상으로 흘러가듯이 가득해진 내가 세상을 이롭게 한다는 것인데 홍익의 시적인 표현으로 비전을 정하셨다니 놀랍다. 그는 이화서원의 비전 이야기를 담은 106번째 빛살 편지에서 이렇게 말했다. "이화서원의 비전을 한 언어에 담았습니다. 각자의 꽃으로 세상을 아름답게, 이 한 줄은 그냥 좋은 이야기가 아닙니다. 지난 4년 이 꿈을 이루기 위해 마음과 정성을 다한 결과입니다. 쉬울 것 같지만 쉽지 않습니다.

각자가 꽃피어나는 것도 어렵고 그 꽃이 세상의 아름다움이 되는 것은 더 어렵습니다. 하늘님이 늘 도우셨습니다."

그의 마음이 내 마음이다. 나도 맨발학교를 만들고 지난 10년 쉽지 않은 세월이었다. 내 안의 자연 치유력을 믿고, 내가 아니고 내 것인 내 몸을 온전히 사랑하며 사는 것, 가장 단순한 맨발걷기 하나로 내 안의 꽃을 피우는 것, 그 꽃들이 세상으로 나아가 아름다운 향기를 내는 것이 우리 맨발학교가 꿈꾸는 세상이다.

각자의 몸이 좋아져서 병원에 가는 횟수가 줄어드는 만큼 나라의 예산을 아낄 수 있고 그 돈이 다시 세상을 아름답게 하는 한 송이의 꽃이 되는 것이다. 우리 맨발학교의 비전이다.

아름다운 공동체 이화서원의 앞날에 하늘님의 보호하심이 늘 함께 하길 빈다. 맨발학교가 나아가는 길에도 늘 하늘의 지혜를 구한다.

이왕 맨발걷기 할거면 겨울에도

저녁을 먹고 여유 있게 텔레비전을 보면서 여가를 즐기는 사람을 데리고 나와 맨발걷기를 권하기는 어렵다. 반면 저녁을 먹자마자 온 가족이 손을 잡고 집 근처 학교 운동장으로 나오는 가족이 있다. 그분들에게는 다가가서 권하고 싶다. 이왕 걸을 거면 맨발로 걸으라고. 어차피 걸으러 나왔고 운동을 실천하는 분이고 걷기를 좋아하는 분이다. 그런 분이라면 참 쉽다. 신발만 벗으면 된다. 그 쉬운 걸 안 할 이유가 없다. 소파에 누워 있는 사람까지 일으켜 나올 힘은 없어도 이왕 걷는 분들에게 맨발로 걸어보라고 말하는 건 덜 어렵다.

11월 어느 날, 함께 맨발걷기 하던 분이 말했다.

"어휴, 춥기 전에 많이 걸어야겠어요."

그분에게 말하고 싶다. 이왕 맨발걷기 할 거면 겨울에도 하라고. 아니 겨울이니까 더 하라고, 겨울 맨발걷기의 가치를 따라다니며 알려주고 싶을 만큼 안타깝다. 맨발걷기가 뭔 대수랴 여기는 사람을 붙잡고 겨울 맨발걷기를 말하고 싶지는 않다. 하지만 맨발걷기를 좋아하고 이미 실천하고 있는 많은 분들에게는 꼭 용기 내어 겨울 맨발걷기를 해보라고 권하고 싶다. 맨발로 걸으면 좋을 텐데, 이왕 맨발걷기 하는 데 아깝다. 겨울에도 할 수 있는데. 겨울에 하면 더 좋은데. 진심이다.

텔레비전의 '나는 자연인이다' 프로그램에 출연하는 자연인들 중 많은 분이 큰 병에 걸려서 자연을 찾아왔노라고 한다. 그리고 그 자연에서 도시에서 잃었던 건강을 회복해서 행복하다고 한다. 큰 병에 걸렸다는 건 어쩌면 하늘이 내게 주는 기회이다. 이제까지의 삶의 태도를 바꾸라는. 그래서 나의 몸을 돌보라는, 더 이상은 안된다는 기회이고 선물이고 경고다. 그런 일이 있기 전에 자주, 꾸준히 자연을 찾아가는 지혜를 가지면 좋겠다. 이왕 걸을 거면 맨발로, 이왕 맨발걷기를 할 거면 겨울에도 하자.

내 몸과 대화하는 것이 중요하다

장수마을에 가보라. 보조식품을 열심히 먹고 장수한 사람은 없다. 자연에서 난 것을 주로 먹으며 소식을 실천한 사람이 많다. 건강보조식품을 잔뜩 챙겨 먹고 장수한 사람은 보지 못했다. 얼마 전 맨발걷기 행사에서 105세 할머니를 만났다. 105세의 연세이시지만 눈은 2.0이라고 하셨다. 깜짝 놀랐다. 눈동자에서도 빛이 반짝반짝 나셨다. 지금도 약 같은 것은 먹지 않는다고 하셨다. 보청기도 자식들이 해주셨는데 하지 않는다고 하셨다.

맨발로 땅을 밟는 사람은 자연을 닮아가도록 노력하여야 한다. 가장 자연적인 맨발걷기를 하면서 또 뭐가 필요한가? 맨발걷기를 하면서 이런저런 보조 제품을 찾을 필요는 없다.

견인차는 위급 상황에서만 필요하다. 내차는 내가 직접 운전해야 한다. 견인차가 나를 끌고 다니면 안 된다. 견인

차가 내차를 끌고 다니면 내가 운전할 필요가 없다. 내가 운전하지 않아도 되니 편하고 좋은 걸까? 나중에는 자신의 차를 운전할 수 없게 된다. 자신의 자동차 브레이크 감각은 자신이 제일 잘 안다. 자신의 자동차 가속 페달 감각은 자신이 제일 잘 안다. 그래서 다른 차를 운전하면 어색한 느낌이 드는 것이다. 내가 내 차를 직접 운전하지 않고 보조식품이나 보조제품에 맡기면 나중에는 내 차의 감각을 느낄 수가 없다. 주인과 소통하지 못하고 견인차에 끌려다닌 차는 망가지기 쉽다.

자신의 자동차는 자신이 직접 운전해야 한다. 그래야 내 몸의 주인이 될 수 있다. 내 몸의 주인이 되어야 내 마음의 주인이 될 수 있다. 봄에도 여름에도 가을에도 겨울에도 맨발로 걸으면서 자연의 변화를 몸으로 느끼는 공부가 필요하다. 땅이 차가울 때 내 몸과 더 깊은 대화를 나눌 수 있다.

맨발걷기는 몇 보가 중요한 것이 아니라 몇 분이 중요하다. 맨발걷기는 신발을 신었을 때 보다 다칠 확률이 높다. 맨발로 몇 보는 걸어야 효과가 있다고 하면 맨발걷기로 다치는 사람이 늘어날 것이다. 많이 걸으려고 빨리 걷게 되고 그러다가 돌부리도 차고 나무뿌리에도 걸린다. 맨발걷기는 서두르면 안 된다. 맨발로 걷기 전에 마음을 내려놓고 깊은 숨을 쉬며 편안하게 시작해야 한다. 그래서 자신과 대화를 하면서 자기 몸에 맞게 걷는 것이 중요하다는 것이다. 그러면 접지는 저절로 된다. 맨발로 산에 갈 때도 목적지를 정해놓고 가면 안 된다. 목적지에 얽매이다 보면 다친다. 시간을 정해놓고 가야 된다. 1시간의 시간이 있으면 30분 올라가고 30분 내려오면 된다. 내 몸에 맞게, 갈수 있는 데 까지 걸으면 된다. 내 걸음에 마음을 모으고 자연과 하나 되려는 겸손한 마음이 중요하다.

얼마 전 어느 맨발걷기 모임에 갔다. 맨발걷기를 하기 전에 준비운동으로 국민체조를 하였다. 칠순 할머니도 팔순 할아버지도 국민체조를 다 같이 따라 하였다. 준비운동은 본 운동을 하기 전에 몸에 무리가 가지 않도록 몸을 풀어주는 운동이다. 그런데 맨발걷기라는 본운동을 하기 전에 힘든 국민체조를 예비운동으로 하는 것이다. 나이 드신 분들이 음악에 맞춰 국민운동의 전 과정을 2회 따라 하느라 힘들어하는 모습을 옆에서 지켜보았다.

천천히 산보하는데 무슨 예비운동이 그리 필요한가. 오

히려 그 국민체조는 맨발걷기를 다하고 몸이 풀리고 난 다음에 하면 더 좋을 것같다는 생각이 들었다. 70년대 이후 학창 시절을 보낸 사람들은 무슨 운동을 하든지 준비운동으로 국민체조를 해야 한다는 정보가 뇌에 저장되어 있다. 맨발 달리기를 한다거나 맨발로 산에 오르는 것도 아닌데 비교적 평평한 길을 그냥 걸을 것인데, 맨발로 산보하듯 천천히 걷는데 굳이 국민체조를 어르신들이 할 필요는 없다. 운동화를 벗고 양말을 벗으면서 자신의 발에 칭찬해주고 감사한 마음으로 발을 다독여주는 것이 더 필요하다. 매일 얼굴을 씻을 때 거울을 보며 내 얼굴을 잘 살피는 것처럼 내 발을 자세히 보면서 기특한 내 발을 응원하고 칭찬하는 것이 꼭 필요한 준비이다. 맨발걷기 후 국민체조를 해보라. 허리 굽히기가 더 잘되고 팔이 더 잘 돌아간다.

맨발걷기를 끝내고 신발을 신을 때도 발에게 칭찬을 해주어야 한다. 수고한 발을 깨끗이 씻고 틈나면 발마사지도 해 주면서 발과의 다정한 대화는 꼭 필요한 마무리 운동이다.

넘치는 맨발걷기 정보에 너무 의존하지 마라. 자극적이거나 과장된 정보도 많다. 참고만 하고 자신의 몸에 감사하고 집중하라. 내 몸에 맞게 하는 것이 중요하다. 내가 어떤 선택을 하고 어떤 마음으로 맨발걷기를 하고 있느냐가 더 중요하다. 맨발걷기는 내가 만나는 모든 자연에 감사하고 내 몸 안에 있는 자연치유력을 믿고 맨발로 맨땅을 걸으면서 자신과 대화를 하는 것이다.

경북 청도의 아름다운 산에 둘러싸인 성모솔숲마을의 신부님께서 전화를 주셨다. 성모솔숲마을 환우들을 위해 맨발길을 조성한다고 하셨다. 솔숲이 우거진 성당은 산속에 지중해를 옮겨 놓은 듯 아름다운 곳이었다. 나는 약속 시간 보다 먼저 도착하여 성당 주변을 맨발로 걷고 있었다. 한참 후 가을 햇살이 비치는 하얀 성당을 배경으로 검은 수단을 입으신 신부님이 나를 알아보시고 걸어 나오셨다. 아, 그런데 신부님은 맨발이셨다. 가을이 깊어가는 날이었다. 하얀 성당과 푸른 솔숲, 그리고 새까매진 신부님의 맨발은 참으로 아름다웠다. 이곳에 맨발길은 잘 만들어지겠구나 걱정할 필요가 없었다. 맨발로 걸어 나오시는 신부님이 이미 많은 말씀을 해주고 계셨다. 신부님은 성모 솔숲 마을에서의 일상을 맨발로 하고 계셨다. 흙에 대한 무한 신뢰, 내 몸의 자연치유력을 믿고 계시는 모습이 놀라웠다. 맨발걷기를 실천하고 얼마 되지 않아 발바닥을 다치는 일이 생겼는데 자연의 치유력을 믿고 기다렸더니 잘 나았다고 하셨다. 자신의 몸과 대화하며 상처 난 부위를 보살 핀 신부님의 의지가 대단하다고 생각되었다.

십자가의 길이 조성된 산길을 맨발로 함께 걸으면서 환우를 위한 맨발길을 어떻게 만들 것인가를 의논하는 발걸음이 행복했다. 애써 맨발길을 많이 만들 필요도 없는 아름다운 곳이었다. 천연 황토가 섞인 산비탈길도 이미 좋았고 성당을 한 바퀴 도는 맨발길에 마사토만 보완하고 자연과 어울리는 세족시설을 하면 될 것 같았다. 맨발걷기를 할 때는 맨발걷기에 대한 지식보다 자연에 대한 사랑, 내 몸에 대한 신뢰, 진실된 마음이 먼저이다. 성모솔숲마을 맨발길은 자연에 감사하며 내 안의 자연치유력을 믿고 생활 속에서 실천하는 신부님이 계셔서 맨발걷기로 건강이 회복되는 기적 같은 치유의 길이 되리라 여겨져서 흐뭇한 마음으로 돌아왔다.

움직임이 먼저다

접지에 대한 질문이 많다. 영어로는 어싱(Earthing), 한자로는 접지, 우리말은 맨땅맨발이다. 나는 맨땅맨발이라는 말을 자주 쓴다. 가장 쉽게 설명해 주는 말이기 때문이다. 어떤 사람은 어싱을 한다고 억지로 천천히 걷는 사람이 있다. 어싱에 너무 집착하는 모습이다. 몸이 불편하거나 환자일 경우에 어쩔 수 없이 움직임 없이 맨땅에 서 있거나 앉아 있기만 해도 효과가 있으니 해보라고 권하지만 얼마든지 걸을 수 있는데 굳이 어싱 효과를 위해 멈추어서 있는 것은 우습다.

어싱과 움직임 중 어느 것이 더 중요할까? 이런 질문도 많이 받는다. 어싱을 잘하고 있는 것은 1000년 묵은 향나무다. 천년을 접지한 향나무는 뇌가 없다. 식물은 아무리 오래 접지를 해도 뇌가 생기지 않는다. 뇌는 움직임이 있을 때 생긴다. 1000년의 향나무 밑에서 잠시 왔다가는 토끼도 다람쥐도 너구리도 모두 뇌가 있다. 덩치가 더 작더라도 동물들은 뇌가 있다. 인간은 동물이다. 움직임이 먼저다. 움직이지 않으면 뇌발달이 어렵고 알츠하이머에 걸릴 확률이 커진다.

쌍둥이 자식을 낳았는데 한 명은 맨발로 접지만 계속시키고, 한 명은 비록 접지는 모르지만 신발 신고 여기저기 뛰어다니게 키운다면 누가 더 건강하겠는가? 물어나 마나 한 이야기다. 토끼가 깡충깡충 뛰어다니지 않고 접지만 하고 있다면 동네에서 가장 멍청한 토끼가 되어서 가장 먼저 잡아 먹힐 것이다.

일본의 후쿠시마현에 가면 '천재 유치원'이 있다. 천재들이 가는 것은 아니고 이 유치원에 가면 천재처럼 된다고 붙여진 별명이다. 천재 유치원의 프로그램이 바로 '맨발 달리기'다. 움직이지 않으면 민첩성이 떨어지고 판단력이 떨어지고 나중에는 정말 움직이지 못한다. 식물은 땅에 뿌리를 박고 살지만 동물은 움직임이 가능하다. 자연의 섭리다. 그래서 식물은 땅에서 뽑으면 죽는다. 사람은 움직이지 못하고 요양병원에 누워만 있으면 곧 죽거나 살아 있어도 죽은 거나 비슷한 삶이 이어질 뿐이다. 자연에 답이 다 있다. 어떤 어싱 제품에 발을 올려놓고 가만히 있는

다면 식물을 닮아간다. 춥더라도 나가서 움직이면 동물임을 선택하는 것이다. 하물며 음식을 꼭꼭 씹는 턱의 움직임만으로도 뇌 발달에 도움이 된다.

뇌과학자들은 말한다. 인간이 살아가면서 운동과 접지 중 하나만 선택하라고 하면 운동을 선택해야 한다. 움직임은 뇌발달과 밀접한 관계가 있음을 뇌과학자들이 이미 밝혀주었다. 맨발로 걸으면 운동과 접지를 동시에 하고 뇌도 건강해지고 몸도 건강해진다.

지난 40년간 이런 신념을 가지고 운영되는 유치원이 있다. 대구 북구 연암공원 앞의 대원유치원이다. 이 유치원은 겨울에 방문해도 바깥놀이 하는 아이들을 쉽게 볼 수 있다. 이 유치원은 1층에 아이들 교실이 있고 문만 열면 운동장으로 나올 수 있다. 겨울에도 햇살이 잘 드는 운동장에서 바깥놀이를 즐긴다. 꼭 맨발이 아니어도 좋다. 움직임을 지속적으로 할 수 있는 것만으로도 감사한 일이다. 유치원 바로 앞의 숲을 이용하여 다양한 체험활동도 이루어지며 겨울에도 축구프로그램은 계속 이어진다. 실내 공간에서 조기 영어교육을 시키는 것과 비교하면 하늘과 땅만큼 질 높은 교육을 하고 있다고 여겨진다.

경북 칠곡에 가면 맨발걷기 교육을 실천하는 이름처럼 신비한 신비유치원이 있다. 유치원 넓은 마당을 맨발놀이장으로 만들어 봄에도 여름에도 가을에도 겨울에도 틈만 있으면 바깥놀이를 하는 유치원이다. 근력이 길러지고, 심폐 지구력이 길러지고 자연을 닮은 감성이 우리가 모르는 사이에도 쑥쑥 길러지고 있음을 유치원 학부모들이 알아주면 좋겠다. 학습지 위에 쓴 글씨나 그림처럼 결과가 쉽게 눈에 보이지 않지만 마음에, 뇌에, 온 몸에 차곡차곡 쌓이는 어마어마한 친자연적 움직임 활동의 가치를 알아주는 지혜가 있었으면 좋겠다.

걱정걷기 말고 맨발걷기 하세요

"교수님 맨발걷기 할 때 파상풍 예방주사를 맞아야 하나요?"

"네"

"교수님도 맞으셨나요?"

"아뇨, 저는 안 맞았는데요."

내가 백번도 더 들은 질문이다. 맨발걷기 이야기를 하면 나에게 파상풍 주사를 맞아야 되냐고 묻는 사람은 예방주사를 맞아야 마음이 편하다. 나는 예방주사를 맞았기 때문에 혹시 맨발로 걷다가 다쳐도 괜찮다는 마음, 그 생각이 나의 뇌에 기억되어 있어야 그때부터 마음 편히 맨발로 걸을 수 있다. 그래야 맨발걷기의 효과도 맛볼 수 있다.

파상풍을 걱정하면 맨발걷기 하는 내내 파상풍이 머릿속을 떠나지 않는다. 맨발걷기를 하는 것이 아니고 걱정걷기를 하는 것이다. 그래서 우리 조상들은 모르는 게 약이다라는 말을 한 것이다. 그 사람은 파상풍주사를 맞는 것이 좋다. 그때부터는 걱정에서 벗어나 파상풍주사를 맞아서 해결되었다는 안도감에서 마음의 안정을 찾고, 마음의 안정은 좋은 기분을 불러오고 혈액순환이 더 잘되고 몸이 더 빨리 좋아진다. 심기혈정의 원리이다.

그런데 교수님은 왜 안 맞아요? 굳이 답을 하지 않아도 이쯤 되면 눈치챌 것이다. 한 의사가 유튜브에서 맨발걷기를 알려주며 파상풍에 대해 언급하였다.

"파상풍 예방 주사는 오히려 맨발걷기 하는 사람은 안 맞아도 돼요. 그 사람은 면역력이 있어 차라리 괜찮아요. 평소 맨발걷기를 안 하는 사람은 혹시 못에 찔리면 파상풍에 걸릴 수 있어요."

나도 그런 생각이다. 나는 한 번도 파상풍을 걱정해 본 적이 없다. 혹시 크게 찔리면 그때 치료해도 늦지 않다고 여긴다. 그래서인지 23년째 아무 일도 없었다. 그러나 대부분의 사람들은 그 파상풍이라는 걱정정보에서 벗어날 수 없다. 그래서 맞는 편이 더 좋다. 나의 책『맨발학교 권택환의 맨발혁명』에도 파상풍 주사를 맞고 하라고 쓰여 있다.

"교수님 인조잔디는 해로운 줄 알겠는데 천연잔디는

맨발걷기에 괜찮은가요?"

이 질문도 수백 번 들은 질문이다. 천연 잔디밭에서의 맨발걷기, 어떤 사람은 되고 어떤 사람은 안된다.

"교수님 사람 차별하나요? 저 사람은 되고 저는 왜 안 돼요?"

진드기를 걱정하는 사람은 걷지 말라고 한다. 한 시간 내내 진드기 있는 것 아닌가 진드기 있는 것 아닌가 이런 생각을 뇌에 두고 걸으면 맨발걷기를 한 것이 아니고 '진드기 걱정걷기'를 한 것이다. 맨발걷기 효과가 확 떨어진다. 땅속의 음이온이 들어오다가도 걱정과 부딪힌다.

"우리 집 앞마당 잔디는 제가 늘 가꾸고 있고 저는 진드기 걱정은 안 해요. 그리고 맨발걷기 후 씻을 테니 잔디밭에서 맨발걷기 해도 괜찮지 않을까요?"라고 묻는 사람은 맨발로 잔디밭을 걸어도 된다.

외국에 나가보라 날씨 좋은 날이면 수영복 차림으로 잔디밭에서 맨발로 달리거나 누워서 일광욕을 즐긴다. 물론 잔디밭을 걷고 나면 깨끗하게 씻어야 한다.

"교수님 흙이 더러운데 맨발걷기 해도 돼요?"

"안 찔려요?"

"개가 오줌을 누진 않았을까요?"

"어제 보니 개가 똥을 누는 것 같았는데 주인이 깨끗하게 흙 위의 똥을 닦았을까요?"

"요즘 땅은 농약, 제초제로 오염되었다는데 상관없나요?

아마 이런 질문은 23년 동안 수천번 들었을 것이다. 초창기 때는 아내에게서도 자주 들은 말이다. 나는 맨발로 걷지 말라고 한다. 더러운 흙 걱정, 진드기 걱정, 파상풍 걱정을 하며 걷는 것은 모두 맨발걷기가 아니고 걱정걷기, 의심걷기이다. 그래서 맨발걷기를 함께 해보면 좀 배웠다는 사람이 이미 갖고 있는 정보에 갇혀 걱정이 더 많다. 1학년 아이들은 순수해서 아무 걱정 없이 금방 맨발로 다닌다. 3월에도 하고 겨울 방학을 앞둔 12월에도 맨발걷기를 한다. 흙에 대한 나쁜 정보가 없고, 파상풍이 무엇인지 모른다. 그냥 한다. 담임선생님이 하면 그냥 따라 한다.

걱정이 많은 사람에게는 시간이 필요하다. 어느 날 흙을 밟아도 두려움이 없는 그날. 진드기를 걱정하지 않는 그날, 파상풍을 생각하지 않는 그날이 온다. 그날이 오는 사람만이 맨발걷기라는 우주의 선물을 받을 수 있다.

"교수님 비 오는 날도 해야 되나요"

맨발학교 초창기에 많이 받은 질문이다. 지금은 모두 비를 기다린다. 초등학생들과 맨발걷기 교육을 실천하는 선생님들은 한결같이 말한다.

"아이들은 비 오는 날 맨발걷기가 얼마나 좋은 지 가르쳐 주지 않아도 잘 알아요. 기분이 더 좋데요. 발의 감촉이 더 좋데요. 같은 시간 걸었는데도 더 많이 걸은 것 같대요."

열린 마음으로 비 내리는 운동장을, 비에 젖은 숲길을 걸어보면 금세 알 수 있다. 요즘은 비 내리는 날에 해야 하나요라고 질문하는 맨발걷기 회원들은 많지 않다. 이미 알고 있는 정보를 쓰지 않고 잠시 멈추면 몸이 내게 알려준다. '지금 봄비가 내려요. 맨발걷기 하러 나가세요.'라고. 동상에 걸릴까 봐 무서워서 겨울에는 맨발걷기를 멈추는 것, 흙이 더럽다고 못 밟는 것, 진드기가 있을까 봐 우리 집 마당에 잔디밭도 맨발로 못 다니는 것, 파상풍걱정으로 맨발걷기를 못하는 것, 모두 같은 맥락의 이야기다. 아마 몇 년 지나면 어떤 것이 진리인지 몸으로 알아차리는 사람들이 늘어날 것이다. 이제 입자의 시대가 아니고 파동의 시대로 변화되니까. 평생 가도 못 갈 이역만리 외국에 있는 손자와 화상통화는 하면서 우리 몸에 작동하는 에너지의 흐름, 파동은 모르겠다 하면 어불성설이다.

예전에 흙이 더럽다고 걷지 말라고, 진드기 때문에 잔디밭은 맨발로 근처도 가지 말라고, 파상풍 때문에 맨발걷기를 하지 말라고, 겨울은 맨발걷기 하지 말라고 알려주던 전문가. 그분들도 그때는 그들이 가진 정보로 최선을 다해 조언을 해 준 것이기 때문에 탓할 필요가 없는 것이다. 10년이 지나면 지금 이 책을 읽는 분들은 또 다른 세상을 살아가고 있을 것이다.

모유는 가난한 사람들이나 먹이는 것이고 부자들은 영양분이 충분한 분유를 먹이는 것을 자랑으로 여기던 시절이 있었다. 지금 내가 굳게 믿고 있는 상식이 진리가 아닐 수도 있음을 알아야 한다.

"동상이 걱정되면 내년 봄까지 기다리세요" 그렇게 대답해 줄 수밖에 없다.

도깨비에서 참도깨비가 되려면 강인한 몸이 필요한 것이 아니다. 다른 정보에 끌려다니지 않고 자기 뇌의 주인이 되어야 한다. 도깨비에서 참도깨비가 되는 것은 그리

쉬운 것이 아니다. 아니다. 어쩌면 아주 쉬운 일일 지도 모른다. 이것도 알아들을 수 있는 사람만 알아듣는 이야기이다.

미소를 띠고 걷는 것이다

사과 하나를 먹더라도 사랑하는 가족과 감사한 마음으로 맛나게 먹으면 더 많은 에너지를 만들어 낼 수 있다. 같은 사과를 먹더라도 미운 사람과 같이 먹으면 체할 수도 있다. 어찌 모든 음식이 같은 에너지를 만들겠는가. 나의 몸 상태 마음 상태에 따라 달라진다.

맨발걷기도 마찬가지다. 흙을 바라보는 마음, 잔디를 바라보는 마음, 파상풍에 대해 걱정하는 마음, 이 땅은 얼마나 접지가 될까 늘 평가하는 마음, 이 모든 것들이 내 몸 안에서 작동된다. 여러분들이 식탁에서 사과, 배, 복숭아, 수박을 먹을 때마다 당도를 측정하고, 비타민을 측정하고 먹는가. 풋고추를 먹을 때도 하나하나 칼로리를 측정하고 된장에 찍어 먹는가. 아무리 좋은 과일도 그렇게 먹으면 무슨 맛난 식탁이 되겠는가. 가족 간의 표정을 보며 재밌는 얘기를 하며 행복한 시간을 즐겨야 한다. 오늘 식탁에서 나와 같이 한 그 인연에 감사하고 오늘 준비된 음식에 감사하며 먹을 때 최고의 만찬이 되는 것이다. 시골 장터에서 잔치국수 한 그릇을 먹더라도 감사한 마음으로 맛나게 먹어야 한다.

어떤 땅이 좋은가? 오염되지 않은 모든 땅은 맨발걷기에 좋다. 마른 땅도, 젖은 땅도 마사토도 황토도 바닷가 모래도, 따뜻한 땅도, 서늘한 땅도, 차가운 땅도 접지가 잘 되는 땅도, 덜 되는 땅도 모두 좋다. 땅을 볼 때마다 평가하고 측정하고 우리는 언제 자연과 만나는가? 마른 땅이 있어야 젖은 땅의 좋은 점을 알고 따뜻한 땅이 있어야 서늘한 땅이 있음을 안다. 젖은 땅이 좋다고 하더라도 늘 젖은 땅이면 우리 몸은 좋은 줄을 모른다. 우리 뇌는 늘 있는 것은 없는 것과 같다고 느끼기 때문이다. 매일 돈을 무조건 천만 원씩 쓰라고 하면 당분간은 좋지만 나중에는 큰 고역이 된다. 그리고 우리 뇌에서 기쁨을 느끼지 못한다. 그래서 마른 땅도 젖은 땅도 감사한 것이다. 마사토도 황토도 바닷가 모래도 다 감사한 것이다. 따뜻한 땅도 서늘한 땅도 차가운 땅도 감사한 것이다. 늘 있는 것은 없는 것과 같다.

맨발걷기의 큰 원리는 자연을 만나는 것이다. 햇볕도 만나고, 공기도 만나고, 땅속의 음이온도 만나는 것이다. 나도 다른 사람에게 답을 하려니 이것저것 설명하지만 사실 맨발로 걸으면서 복잡한 과학이 필요 없다. 햇빛을 보면 좋다. 신선한 공기를 쐬면 좋다. 땅속에는 음이온이 있어 우리 몸의 활성산소를 없애준다. 이 정도만 알아도 충분하다. 맨발걷기는 측정하고 평가하는 것이 아니다. 자연을 만나서 내가 자연의 모습으로 닮아가는 것이다. 가급적이면 손발을 가볍게, 무슨 장비나 준비물이 없는 것이 좋다. 기계와 대화하는 것이 아니고 좋은 생각을 하면서 걸어야 우주와 연결된다. 황토공부를 한 사람은 황토땅의 맨발걷기만을 고집한다. 접지공부를 한 사람은 접지측정 기계를 들고 다니면서 접지정도를 확인하며 다닌다. 마른 땅이 있어 젖은 땅이 있다. 매번 땅을 평가하면 그것은 '맨발걷기'가 아니고 '평가걷기'를 한 것이다.

맨발걷기를 할 때의 자세도 마찬가지다. 내 몸과 대화하면서 안전하게 자연스럽게 걷는 것이 제일 중요하다. 우리가 꼭 알아야 할 것들은 사실 상식 수준의 것이다. 허리를 곧게 펴고 가슴을 쭉 펴고 걷는 것이다. 자신의 리듬을 갖고 걷는 것이다. 가장 중요한 것은 미소를 띠고 걷는 것이다. 그런데 신기하게도 맨발걷기를 꾸준히 하시는 할머니

할아버지께서는 내가 한 번도 이것을 가르쳐 주지 않았는데 어느 날 이 네 가지를 저절로 몸에 익혀 신나게 걷고 계셨다. 우리 몸은 신기하게도 칭찬해 주고 격려해 주면 저절로 좋은 것을 찾아 나아간다.

오직 감사한 마음으로 걸어라

얼마 전 강의를 마치고 맨발학교 회원들과 산길을 걸으며 겨울 맨발걷기에 대한 설명을 해주었다. 수년간 나와 같이 겨울 맨발걷기를 한 회원들도 있고, 올 겨울을 처음 기다리는 회원도 있었다. 예전과 달리 많은 사람이 맨발로 걷고 있었다. "이곳에도 건강 도깨비방망이를 쓰는 도깨비들이 많네요."라고 하면서 다 같이 웃었다.

그런데 아저씨 한 분이 계속 투덜대면서 걷고 계셨다. 무슨 일인가 하고 들어보니 땅이 젖어야 효과가 있는데 비가 안 와서 오늘같은 날은 하나도 효과가 없고, 다음 주에 비 내리기만 기다린다는 것이다. 지나다가 조금 촉촉한 곳이 나오면 여기는 좋은 땅, 마른 땅이 나오면 여기는 효과가 없다 말하면서 맨발걷기가 아닌 '평가걷기'를 하고 있었다. 땅이 젖어있으면 접지가 더 잘 됨을 알고 있는 분이다. 맞는 말이긴 하지만 내내 그 생각만 하고 걷고 있다는 게 안타까웠다. 뒤따라 걷다 보니 매고 있던 배낭에서 접지 테스트기를 꺼내서 여기저기 땅에다 접지의 효과를 테스트하고 계셨다. 우리 뇌는 평가를 하는 순간 분별심이 생긴다. 평가하고 채점하며 '채점 걷기' 하느라 진정한 걷기는 언제 할까? 명상 걷기, 나의 하루를 돌아보고 내일을 계획하는 그냥 걷기는 언제 할까?

내 앞에는 노부부가 손을 꼭 잡고 맨발로 걷고 있었다. 할아버지는 지팡이를 짚고 걸으시고 할머니는 할아버지의 다른 손을 꼭 잡고 걸으시는데 그 모습은 한 폭의 그림이었다. 아름다웠다. 지구와 하나 되고 우주와 통하는 느낌이었다. 내가 지금 밟고 있는 이 땅이 접지 효과가 좀 더 있으면 어떻고 좀 덜 있으면 어떤가? 땅을 테스트하면서 접지가 좀 더 되는 곳을 골라서 1시간을 이리저리 밟고 다니기보다 사랑하는 사람과 두 손을 꼭 잡고 걷는 것이 더 건강에 좋다. 이것이 우리 맨발학교가 꿈꾸는 맨발걷기의 모습이다. 테스트하고 도구를 준비하고 이런 것이 아니고 자연과 하나 되고 같이 걷는 사람과 하나 되는 맨발걷기가 아름답지 않은가?

촉촉한 땅이 기분 좋고 맨발걷기의 효과가 더 있는 것은 틀림없다. 나도 촉촉한 땅은 마른 땅 보다 맨발걷기의 효과가 3배라고 말한다. 그러면 마른 땅은 효과가 없느냐? 그렇지 않다. 마른 땅은 촉촉한 땅보다 뇌감각을 깨우는 데는 더 효과가 있다. 접지로 보면 촉촉한 땅이 더 좋지만 마른 땅은 마른 땅대로 역할이 있다. 우리 뇌는 다양한 땅의 감각이 있을 때 더 활성화된다. 매일 젖은 땅만 걷는다면 뇌는 활성화되지 않는다. 생명의 세계에서는 다양함이 아름다움이고 경쟁력이다. 마른 땅이 있어야 촉촉한 땅의 고마움을 알고, 촉촉한 땅이 있어야 마른 땅의 고마움을 안다. 서로 차이가 있을 때 뇌의 감각이 깨어나는 것이다. '손 잡지 않고 살아남은 생명은 없다.' 생태학자 최재천 교수님의 책의 제목이기도 하다. '더불어 살아가는 생명이야기'라는 부제가 붙어 있는 책이다. 땅과 사람이 더불어 살아야 하고 촉촉한 땅과 마른 땅을 더불어 걸어야 한다. 둘 다 감사한 땅이다. 하나만 고집하면 그 하나마저 의미가 사라진다. 맨발걷기의 정신은 자연을 있는 그대로 사랑하는 것이다. 봄은 봄대로 여름은 여름대로 가을은 가을대로 겨울은 겨울대로, 황토는 황토대로, 마사토는 마사토대로. 바닷가 모래는 바닷가 모래대로 그대로 최고이고 그대로 모두 소중하다. 자연대로 자연처럼 걷는 것이 맨발걷기이다. 신발을 벗어던져놓고 또 다른 정답을 발에 덮어 씌우면 안 된다.

어느 학교에서 교장선생님이 황토공부를 많이 하셨다. 그래서 황토를 넓게 깐다고 하셨다. 학교 운동장에는 황토는 적절하지 않다고 말씀드렸더니 황토공부를 많이 하면 그런 조언을 안 할 텐데 황토를 몰라서 그렇다고 하시면서 황토를 학교 운동장에 깔았다. 얼마 지나지 않아 다시 다 걷어 내었다. 아이들이 미끄러지고 넘어져 팔다리가 다치기 일쑤고 수돗가는 황토로 흙투성이가 되고 건물벽은 신발자국으로 벽화가 그려지게 된 것이다.

황토가 좋은 것은 맞다. 황토 속에는 좋은 박테리아가 많고, 접지도 더 잘되고 맞는 말이다. 그러나 아이들은 마음껏 뛰어다녀야 한다. 접지가 더 잘된다고 마음껏 뛰어다니지 못하면 멍청한 뇌가 된다. 뇌자극이 안되어 공부하는 데도 방해가 된다. 미끄러질까 봐 빨리 걷지도 못하고 뛰지도 못하면 뇌는 엉망이 되는 것이다. 학교는 공부하는 곳이다. 뇌감각을 깨워주어야 한다. 마음껏 뛰어다녀야 한다. 학교는 마사토가 좋다.

황토로 지장수를 만들어 마시고 황토집도 짓고 황토로

옷을 지어 입는다. 황토가 그만큼 좋기 때문이다. 나도 황토를 잘 알기 때문에 황토로 집을 지어 그 속에서 생활한다. 그러나 비가 오거나 젖은 황토는 맨발로 걸을 때 조심해야 한다. 허리가 삐끗하여 길면 몇 달을 고생할 수도 있다. 황토는 마르면 돌덩이처럼 딱딱해지는 단점이 있다. 비가 오면 너무 질퍽거리고 마르면 돌덩이가 되어 걷기 좋을 정도의 촉촉함을 유지하는 것은 몹시 어렵다. 그래서 자연스럽고 평평한 숲길이 아니면 관리하는데 에너지를 많이 써야 한다.

접지에 관심이 많은 사람은 무조건 바닷가 모래다. 틀린 말은 아니다. 수분도 염분도 많으니 자연 속의 음이온이 우리 몸에 들어와 활성산소를 중화시키는데 매우 유리하다. 그래서 바닷가 모래를 걷는 것은 매우 좋다. 나도 포항이나 목포나 울산이나 제주를 가면 반드시 바닷가 맨발걷기를 하고 온다. 바닷가 겨울 맨발걷기도 좋아한다. 올해 나와 함께 겨울 맨발걷기 여행이 예약된 곳이 많이 있다. 그러나 너무 바닷가 맨발만 고집하면 발바닥의 아치가 무너진다. 우리 발은 딱딱한 땅을 밟는 경험이 필요하다. 그래야 뇌와 발이 협응하여 정보를 주고받는다. 딱딱한 것을 밟을 때 우리 몸은 인식을 한다. 발바닥에 아치가 필요하다는 것을. 의사 선생님께서 바닷가 맨발걷기를 너무 오래 하면 발바닥의 아치가 무너질 수 있다는 이야기는 일리가 있다.

아이들이 뛰어다니고 뇌를 깨우는 데는 마사토가 제일이다. 미끄러지지 않고 달릴 때도 마음껏 움직일 수 있다. 마사토가 아이들 뇌를 깨우는데 가장 좋지만 학교 전체를 마사토로 깔아서는 안된다. 철봉이나 늘임봉, 정글짐 주위에는 모래를 깔아주어야 한다. 아이들이 다치면 안 되기 때문이다.

다 맞는 말이다. "진보는 진보의 정책이 최고다", "보수는 보수의 정책이 최고다"라고 싸우면 끝이 없다. 세상에 한쪽 날개만 있는 비행기는 절대 없다. 한쪽 날개가 크면 비행기는 추락한다. 나라도 마찬가지다. 좌와 우의 균형 있는 날개가 필요하다. 한쪽이 우세하다고 웃고 손뼉 칠 때 그 비행기는 위험하다. 태극기 속의 태극 문양을 잘 살펴보라. 빨강이 넘쳐나는 지점에서 파랑이 시작된다. 파랑이 지나치려고 하는 순간 빨강이 시작한다. 기독교가 제일 좋다. 가톨릭이 제일 좋다. 불교가 제일 좋다. 이슬람이 제일 좋다. 우기면 종교전쟁이 일어난다. 교수님 황토가 좋습니까? 마사토가 좋습니까? 바닷가 모래가 좋습니까? 다 좋다. 양의사가 좋습니까? 한의사가 좋습니까? 내 주위사람들은 발이 삐면 한의원 가서 침을 맞고 뼈가 부러지면 정형외과 가서 병을 고친다. 한의사들도 양의사에게 가서 치료받고, 양의사들도 한의사에게 가서 치료받는다. 누가 더 좋은가? 다 좋다. 오늘 만난 이 인연. 이 흙, 이 공기, 이 메마름. 이 촉촉함. 모두 감사한 인연이다. 오직 감사한 마음으로 걸어라, 물을 한 잔 마셔도 감사함으로 마시면 정화수다.

거기가 바로 맨발걷기 명소이다

천안 흑성산 기슭에 민족의 얼이 숨 쉬는 곳에 '국학원'이 있다. 국학원에 황토 맨발길이 조성되었다. 오래전부터 흑성산에는 벌써 우리의 선도 정신을 기반으로 맨발걷기 수련을 하는 사람들이 있었다. 나는 20여 년 전 진정한 맨발걷기를 여기서 배웠다. 그곳에서 내가 배운 맨발걷기는 단순히 맨발로 맨땅만 밟는 것이 아니었다. 맨발로 걸으면 모든 병이 무조건 낫는다는 생각으로 걷는 것이 아니었다. 진정한 맨발걷기는 내가 만난 모든 자연에 감사하고 내 몸 안의 자연치유력을 믿고 맨발로 맨땅을 걷는 것이었다. 그곳에서 배운 맨발걷기는 맨발걷기로 좋아진 건강과 넓어진 마음으로 세상을 위해 무엇을 할 것인가 고민하는 시간이었다. 건국이념인 홍익과 맨발걷기의 실천이 연결되어 있음을 깨달았다.

흑성산에 오르면 독립기념관과 국학원이 보인다. 호국충절의 고장 천안 흑성산 국학원에 아름다운 황토 맨발길이 조성되었다. 2023년 11월 5일. 이곳에서 '해피로드 맨발걷기' 축제도 열렸다. 흑성산에는 맨발로 걸으면서 우리 선조들을 만날 수 있는 역사 맨발길도 있다. 숲 속의 좋은 공기를 통해 하늘을 만나고, 겸손하게 내디딘 맨발로 땅의 기운을 받고 역사책에 나오는 조상들도 만나는 일석삼조 맨발길이다. 내 마음속의 맨발걷기 명소이다.

내 마음속의 또 하나의 맨발걷기 명소는 경북 안동에 가면 있다. 경상북도 도청 신청사 부지 안에 있는 천년숲 맨발길이다. 천년숲은 2023년 녹색도시 우수사례 공모전에서 대한민국 최우수 도시숲으로 선정됐다. 천년숲은 친자연적 철학을 반영한 기존 소나무·참나무숲으로 생태를 복원하고 주민들의 숲 속 휴양과 치유기능을 할 수 있도록 황토맨발길이 조성된 녹색문화 공간이다. 이곳에서는 맨발걷기 뿐만 아니라 생태적인 다양한 행사들이 열린다고 한다. 대한민국 정부 수립 이후 K맨발걷기가 확산되기 전에 벌써 우리 조상들의 맨발걷기 DNA를 감지하고 관공서에서 처음으로 1만여 평의 맨발길을 계획적으로 조성한 곳이기도 하다.

천년 숲 맨발길은 실제로 맨발걷기를 즐겨하는 이철우

도지사의 공이 크다. 경북 도민은 물론 전국의 많은 맨발인들이 주말이면 이곳을 찾아 맨발로 걷고 간다. 관공서가 나서서 아름다운 맨발길을 조성하고 지역 주민 및 방문객에게 무료로 공간을 제공하는 곳이라는 측면에서 의미가 크다고 하겠다.

이 두 곳은 K맨발걷기에 크게 공헌할 곳으로 그 이름을 빛낼 것이라 여겨진다. 천안은 국학원과 독립기념관이 있고, 안동은 한국국학진흥원이 있는 곳이다. 한국국학진흥원은 전통문화유산이 조사연구를 통해 미래사회를 이끌어 갈 정신적 좌표를 확립하기 위하여 설립된 기관이며 국학의 세계화, 현대화, 실용화, 정보화, 대중화를 위해 노력하고 있는 기관이다. 한국국학진흥원은 규장각한국학연구원, 한국중앙연구원과 함께 국내 3대 공립 한국학 연구 및 자료 보존수집기관으로 알려져 있다. 한국국학진흥원과 천년숲 맨발길이 우연히 함께 안동에 있지는 않을 것이다. 천년숲 맨발길을 통해 맨발걷기 문화가 국학을 진흥하는 한 축이 되어 국학의 세계화, 현대화, 대중화에 이바지할 수 있을 것이라 여겨진다.

꼭 밝혀야 할 내 마음속 맨발걷기 명소가 또 하나 있다.

바로 우리 집 마당이다. 내 집 마당에는 아파트 단지 내 작은 오솔길, 근처 학교 운동장, 공 원 흙길, 집 가까운 야산 등이 모두 포함된다. 맨발걷기 명소는 따로 없다는 뜻이기도 하다. 내가 걸을 수 있는 그곳이 나의 가장 소중한 맨발걷기 명소이다. 빛나는 학교를 찾아서 입학하려고 하지말고 네가 입학하는 학교가 너로 인해 빛나게 하라는 말이 있다. 내가 귀한 마음을 내어 귀하게 걷고 몸과 마음의 건강을 회복하면 거기가 바로 맨발걷기 명소이다.

우리의 전통 수련에서 찾은
맨발걷기

오늘날 한국 사람들을 옛날에는 선인(仙人)이라고 불렀다. 이 선인이라는 말을 풀어 보면 산에 사는 사람들이라는 뜻이거나 혹은 산과 관련 있는 사람들이라는 뜻이다. 그래서 우리나라는 지금도 산을 좋아하는지 모른다. 어떤 이는 선(仙)에 들어있는 山을 왼쪽으로 돌리면 흰 백(白)이 된다고 하여 선인과 백의민족은 서로 통한다고 말한다.

산이라는 지형은 평지보다 여름에는 시원할지 모르지만 가을부터는 평지보다 추워진다. 그래서 산을 의지하고 사는 한국 사람들은 현대 의학이 들어오기 전까지는 스스로의 건강을 지키기 위하여 많은 노력을 해야 했다. 그런 노력은 인삼이라는 훌륭한 약재를 찾아내기도 하였고, 약재를 사용하지 않고 스스로의 몸을 지킬 수 있는 이른바 수련법이라는 것을 개발하기도 하였다. 특히 이 수련법은 다른 나라에서는 찾아보기 힘든 몸의 건강을 위한 수련법을 개발하여 이어오고 있다. 이 한국의 고유한 수련법은 사람의 몸에 하늘과 땅의 기운을 모아서 그 흐름을 조절하여 몸을 이롭게 하는 방식으로 흔히 말하는 중국의 마음 수련법과는 많이 다르다. 고조선시대 유적에서는 산마루에 둥근 터를 닦아 놓은 유적들이 매우 많다. 아마도 그래서 그랬는지 중국계 사람들은 한국 사람들을 선인이라 불렀던 것이 아닌가 한다.

그러나 아쉽게도 수련에 대한 그림이 남아 있지 않기 때문에 유적을 보면서 그렇게 했을 것이라는 추측을 해볼 뿐이다. 우리 역사에서 보면 맨발수련과 관련한 기록이나 그림이 남아 있기 시작한 것은 삼국시대부터이다. 삼국시대 고분에서는 많은 벽화들이 전해져 내려오고 있는데, 이 그림들로 당시 사회연구를 많이 하고 있다. 이 고분 벽화에는 당시 생활상이 거의 있다 하여도 지나친 말이 아니다. 그중에 수련하는 모습을 하는 그림들도 있는데 이런 그림은 몇 곳에서 확인이 되었다. 그중에 아래 속옷만 입고, 맨발로 몸동작을 한 그림이 있는데, 이 그림에 대하여 최초의 연구자들은 서로 싸우는 모습이라 하여 '대련도'라는 이름을 붙이기도 하였다. 그런데 이 그림을 자세히 보면

싸우는 모습이 아니라 뭔가를 하기 위한 몸동작을 하고 있는 것을 볼 수 있다. 그런 특징 중에 하나가 맨발을 하고 있다는 것이다. 만약 싸우는 모습을 재현한다면 신을 신고 맞서는 모습을 연출했을 것이다. 그러나 전혀 그런 모습이 없다. 그러므로 이 모습은 수련을 하는 모습이라는 역사학자의 추측이 있다.

이런 그림들을 볼 때 우리 조상들은 아주 오래전부터 맨발로 수련을 하면서 우리들의 몸을 관리했다는 것을 알 수 있다. 이런 맨발은 땅의 기운을 그대로 받을 수 있고, 머리의 상투는 하늘의 기운을 그대로 받을 수 있는 구조가 되는 것이다. 이런 전통들은 스스로 몸을 보호하기 위하여

수련을 하던 고조선시대부터 이어져 왔을 것이다. 이런 전통들은 후세에도 전해져 이어지다가 언제부터인가 사라졌다가 오늘날 조상들의 DNA가 다시 복원되고 있는 것이 아닌가 생각된다.

우리 조상들의 숨결이 느껴지는 고조선의 옛 영토에서 맨발로 잠시 걸어 본 기억은 지금도 잊을 수가 없다. 나는 교육부에 있을 때 해외 출장을 가면 꼭 맨발로 맨땅을 걸어보는 경험을 하곤 하였는데 가장 감동을 받았던 곳은 중국의 심양과 북한의 금강산이었다. 긴 시간을 맨발로 걷지는 못했지만 그때의 감동은 아직도 생생하다.

3부
겨울 맨발걷기
도를 깨치다

도깨비, 허깨비, 참도깨비

어린 시절 꼭 갖고 싶었던 물건이 '도깨비감투'와 '도깨비방망이'였다. 도깨비감투는 쓰기만 하면 투명인간이 되기 때문에 주인 없는 가게에 가서 먹고 싶은 과자를 마음대로 먹을 수 있고, 교무실에 들어가 선생님께 빼앗긴 구슬이나 딱지를 몰래 되찾아 올 수도 있다. 상상만 해도 신나는 일이다. 도깨비방망이는 더 강력하다. 원하는 것이 있으면 그냥 두드리기만 하면 된다. 갖고 싶은 장난감도, 밀린 숙제도 무엇이든 뚝딱 해결해 준다.

사전적으로는 비상한 힘과 재주를 가지고 있어 사람을 홀리기도 하고 짓궂은 장난이나 심술궂은 짓을 많이 하는 대상이지만 '도깨비'란 말속에는 숨겨진 뜻이 있다. '도(道)를 깨우친 사람'이란 뜻이다.

흔히들 도(道)를 안다거나, 무엇인가를 깨우친다고 하면 보통사람들은 감히 생각할 수 없는 특별한 경지에 이른 것으로 생각한다. 그러나 우리 선조들은 남녀노소 누

166

구나 일상생활 속에서 도(道)를 찾는 노래 '도라지'를 만들어 그 뜻을 음미하며 부르곤 하였다.

　도라지, 도라지, 백도라지 – 도(道)를 알아야지, 도(道)를 알아야지, 백도(白道)를 알아야지

　심심 산천에 백도(白道)라지 – 깊고 깊은 곳에 숨겨져 있는 백도(白道)를 알아야지.

　* 白(희다, 깨끗하다, 명백하다의 뜻이 있음)

　* 백도(白道) : 깨끗한 백(道), 명백한 도(道)를 말함

　한 두 뿌리만 캐어도 – 한 두 개의 백도(白道)라도 깨낸다면. 삶 속에서 그러한 도(道) 한 두 개만 있어도

　대바구니가 철 철 철 다 넘는다 – 인생이라는 대바구니가 건강하고, 행복하고, 평화로워진다.

　백도(白道)라지는 인생을 살면서 캐낸 어떤 깨달음을 말하는 것이다. 그러나 한두 뿌리라도 자신의 백도라지를 캐낸 사람은 도(道)를 깨우친 '도깨비'가 되는 것이고, 인생의 긴 여정에서 산천만 헤매고 도라지 하나 캐내지 못한 사람은 도(道)를 헛 깨우친 '허깨비'가 되는 것이다. 조상

들이 우리에게 물려준 '도라지' 민요 속에도 인생의 깊은 의미가 담겨 있다.

나는 '도깨비'인가? 인생의 여정에서 얻은 작지만 귀한 '깨달음'이 있는가? 한 뿌리라도 스스로 캐낸 도라지가 있는가? 한 뿌리라도 진정 내가 캐낸 도라지가 있다면 나의 인생 대바구니는 건강하고 행복하고 평화로워질 것이다. 사실 바쁜 현실 속에서 성냥개비만 한 '도깨비방망이' 하나 갖기도, 볍씨만 한 '도라지' 한 뿌리 캐기도 쉽지 않다.

나는 23년 전에 도깨비방망이를 하나 찾았다. 두드리면 뚝딱 몸의 건강과 마음의 평화를 가져다주는 그것이 '맨발걷기'이다. 내 인생의 대바구니가 철철철 넘치게 만들어준 도깨비방망이를 지니고 다닌다. 맨발걷기는 나에게 몸건강, 마음건강, 뇌건강을 가져다주었다. 그래서 2013년부터는 학교를 만들어 사람들에게 도깨비방망이를 전하고 있다. 그것이 맨발학교이다.

덕분에 많은 사람들이 도깨비가 되어가고 있다. 맨발걷기로 인생의 대바구니가 철철 넘치는 삶을 살고 있다. 몸이 건강해지고 마음이 고요해지고 세상을 위해 좋은 생각을 하는 사람들이다.

우리 맨발학교 회원들은 도깨비방망이(맨발걷기)를 가진 도깨비들이다. 그중에는 참 도깨비가 있다. 우리 맨발학교에서는 겨울 맨발걷기의 진수를 아는 사람들을 참도깨비라 부른다. 겨울 맨발걷기를 꾸준히 하여 삶을 건강하고 풍요롭게 가꾸는 참도깨비를 만나면 더 반갑다.

안타깝게도 맨발걷기라는 도깨비방망이를 가진 도깨비 중에는 11월, 12월, 1월, 2월. 넉 달을 춥다고 맨발걷기를 못하여 참도깨비가 되지 못하는 경우도 있다. 1년의 3분의 1을 맨발걷기를 하지 못하는 셈이다. 이왕이면 모두가 '겨울 맨발걷기의 도(道)를 깨우친 사람' 참도깨비가 되길 바란다.

사교육으로는 절대 할 수 없는 것

누구나 인기 있는 사람이 되고 싶어 한다. 인기(人氣) 있는 사람이란, 글자 그대로 사람(人)들의 기(氣)를 많이 받는 사람이다. 참 쉬운 말이다. 인기는 사전적으로 '어떤 대상에 쏠리는 대중의 높은 관심이나 좋아하는 기운'을 말한다. 그럼 기운(氣運)은 무엇인가? '어떤 일이 벌어지려고 하는 분위기'이다. 그럼 분위기(雰圍氣)는 무엇인가? '그 자리나 장면에서 느껴지는 기분(氣分)'이다. 그럼 기분(氣分)은 무엇인가? 기(氣)를 서로 나눈다는 것이다. 기(氣)는 나누면 좋아지는 것이다. 그래서 '기분 좋다'라는 말이 있는 것이다. '기분 나쁘다'는 기(氣)를 나누지 않고 나만 가지고 있는 사람이다. 기를 나누지 않는 나쁜인 사람이다. 모두 기(氣)라는 말이 들어간다.

어릴 때 우리는 "그 녀석 참 기(氣) 차네"라는 말을 들어 본 적이 있다. '기(氣) 차다'는 '말할 수 없을 만큼 좋거나 훌륭하다'는 뜻이지만, 정확한 뜻을 몰라도 어떤 말인지는 느낌으로 알았다. 무슨 뜻인지 물어보는 사람도 없다. 그냥 기운(氣運)으로 알기 때문이다.

"야! 여기 분위기(雰圍氣) 좋다."

"너 인기(人氣) 있네!"

"크는 아이 기(氣) 죽이지 마라."

"중소기업 기(氣) 살리자"

우리가 자주 하는 말들이다. 일이 잘 안 풀리면 "기(氣)를 써서 해보라"라고 한다. 위로할 때는 '기운(氣運) 내라.'는 말도 자주 쓴다. 우리가 일상생활에서 사용하는 말과 글을 적어보면 단 하루도 기(氣)라는 단어를 쓰지 않는 날이 없다. 축구 중계를 하는 아나운서가 "이곳 한국의 응원 열기(熱氣)와 기운(氣運)이 이역만리 남아공의 태극전사들에게까지 전해질 것으로 믿습니다."라고 흥분된 목소리로 방송을 하기도 한다. 알고 보면 우리는 매일매일 "기(氣)"라는 단어를 쓰고 살아가고 있다.

도대체 기(氣)가 무엇이길래 할아버지, 할머니의 말씀 속에는 온통 기(氣)와 기운(氣運)으로 가득한 것인가. 우리말에는 몇 천년을 타고 내려온 선조들의 숨결이 들어있다. 갓난아기 오줌 눌 때 들려주는 '쉬' 소리하나에도 엄마의 목소리 기운이 함께 들어 있다. 쉬 소리에는 안의 것을 밖으로 내 보내는 기운이 들어있어서 아기가 오줌을 누지 못하다가도 쉬 소리에 금방 소변을 보게 된다.

'엄마', '아빠'의 소리도 마찬가지다. 엄마의 '엄'은 입 모양이 닫혀 기운을 모으는 소리가 되고, '아빠'의 '아'는 입모양이 열려 기운이 뻗어나간다. 엄마의 '엄' 소리는 받아주고, 안아주고, 감싸주는 기운이 있고, 아빠의 '아' 소리는 키워주고, 발전시키고, 확대시키는 기운이 담겨있다. 아기가 태어나서 가장 먼저 배우는 말 엄마, 아빠에는 음양의 조화로운 기운이 기가 막히게 담겨 있다.

이렇게 간단한 도(道)라지 하나만 캐어도 우리는 '가정 교육'의 시작을 어디에서 출발해야 되는지를 알 수 있다. '엄마', '아빠'를 균형 있게 부르도록 하는 것, 이것이 가정 교육의 가장 원초적인 출발이다. 아기는 '엄마!', '아빠!' 소리의 파장에서 자신도 모르는 사이에 음과 양의 조화로움을 익히게 된다. 세상의 모든 것들을 끌어안기만 해서도, 세상으로 모든 것을 내보내기만 해서도 안 되는 것과 같은 이치이다. 숨을 들이마시기만 하거나, 숨을 내쉬기만 하면 살 수가 없다. 바로 죽음이다. 들이마시는 것과 내 쉬는 것의 조화로움은 태어나면서부터 배우는 것이다. 주중에 바쁜 아빠는 주말에 기(氣)를 써서 아이들과 시간을 보내야 한다. 아이들이 아빠를 힘차게 부를 수 있도록 꼭 시간을 내어 함께 놀아야 한다.

부모는 이 비밀을 알아야 한다. 빛, 소리, 파장으로 물질이 만들어지고 우주가 생성되었듯이 아이들도 무의 상태에서 부모의 눈빛, 음성, 사랑의 파장으로 인격체의 바탕을 형성한다. 아기 뇌에 들어온 원시정보는 평생을 좌우한다. 아이를 둔 아빠가 주말에 가족들과 시간을 보내야 하는 이유가 바로 여기에 있다. 화목한 가정의 기운(氣運)이 조화로운 사회의 밑거름이고, 안정된 국가의 초석이 된다. 아이가 '엄마', '아빠'를 균형적으로 부르면서 자라게 하는 것은 절대로 사교육으로는 할 수 없다. 엄마, 아빠만이 할 수 있다.

기품이 없으면 명품을 찾는다

과학과 의학이 발전한 21세기에도 뚜렷한 약이 없다는 감기(感氣) 역시 기(氣)와 관련이 깊다. 우리 선조들은 태어나면서 타고난 기를 원기(元氣)라고 한다. 그래서 원기 회복이라는 말도 있다. 음식을 통해서 얻어지는 기를 정기(精氣), 수련을 통해서 얻어지면 진기(眞氣)라고 하였다. 수련을 통해서 기를 모으는 축기(蓄氣)를 하기도 하고, 기를 돌리는 운기(運氣)를 하기도 한다. 기를 가지고 노는 사람도 많았다. 몸 밖의 축구공, 탁구공, 골프공으로 노는 사람은 외공이 있는 사람이고, 몸 안의 공을 가지고 노는 사람은 내공이 있는 사람이다.

기는 우리의 건강과도 밀접하다. 기력(氣力)이 쇠하면, 무기력(無氣力)해지고, 무기력하면 기와 맥이 다해지고, 기와 맥이 다해지면 기진맥진(氣盡脈盡)해진다. 기진맥진하면 나중에는 기가 절단되며 풍(風)을 초대한다는 기절초풍(氣絶招風)까지 이르게 된다.

반면 기를 서로 잘 주고받으면 기분(氣分)이 좋아지고, 기분이 좋아지면 생기(生氣)가 넘치고 혈기왕성(血氣旺盛)하여 활기(活氣)찬 생활을 하게 된다. 활기찬 생활을 하다 보면 기색(氣色)도 좋아지게 된다.

기분(氣分)이라는 말은 문자 그대로 '기(氣)를 나눈다'는 뜻이다, 눈에 보이지는 않지만 기(氣)를 나누면 기분(氣分)이 좋아진다. 그래서 '기분 좋다'라는 말이 생긴 것이다. 친구와 만나 눈빛(光)을 나누고, 이야기(音)를 나누고, 마음(波)을 나누면 기분이 저절로 좋아진다. 그것은 눈빛과 음성과 파장을 나누었기 때문이다.

막연하다고 생각되는 기(氣)는 무엇인가? 기(氣)는 어떻게 설명해 주어야 하는가? 손에 잡히지도 않는 기(氣)는 어떻게 주고받는가? 나는 이것을 맨발학교 회원들에게 설명해 주려고 수많은 시간을 국어사전을 안고 살았다. 그리고 많은 고전을 읽었다.

기(氣)는 광(光), 음(音), 파(波)이다.

기(氣)를 보낸다는 것은 광(光), 음(音), 파(波)를 보내는 것이고, 기(氣)를 나눈다는 것은 광(光), 음(音), 파(波)를 나눈다는 것이다. 다시 말해 눈빛, 목소리, 마음을 보낸다는 것이다. 마음은 전혀 잡히지 않는다. 나타낼 수도 없다. 그러나 분명 존재한다. 눈빛의 따스함을 측정하는 기계는 없다. 목소리의 온화함을 재는 장치도 없다. 눈빛과 목소리에 묻혀서 오는 그 마음을 듣는 장치도 없다. 그런 기계가 없어도 따뜻한 눈빛과 차가운 눈빛, 온화한 목소리와 까칠한 목소리, 사랑하는 마음과 미워하는 마음을 구별한다. 그 눈빛이 나를 사랑하는지 목소리가 싫어하는지 어떤 마음으로 나를 바라다보는지 느낄 수 있다. 이 3가지를 합치면 기(氣)가 되는 것이다.

우리 선조들은 품격 있는 광(눈빛), 음(목소리), 파(마음) 교육을 강조하였다. 광(光), 음(音), 파(波)가 모이면 기(氣)가 되니까 즉 품격 있는 기(氣)를 어렸을 때부터 가르쳤다. 품격 있는 기(氣)를 배우면 기품 있는 사람이 된다. 보이지 않는 것이 보이는 것보다 더 중요하다.

기품(氣品)을 가르치지 않으면 보이는 것, 명품(名品)만 중요하게 생각한다. 예전에는 기품 있는 사람이 되려고 노력했는데 요즘은 명품을 가지려고 노력한다. 정신문화시대에서 물질문화시대로 넘어오면서 기품은 사라지고 명품만 자리 잡고 있다.

가정과 학교교육에서 다시 되찾아야 할 것은 품격 있는 광, 음, 파이다. 품격 있는 기(氣)를 가르치는 것이다. 기품(氣品) 있는 사람이 되도록 하는 것이다. 선생님과 학생의 눈빛, 대화, 사랑, 부모와 자녀의 눈빛, 대화, 사랑을 회복해야 한다. 이것을 되살리지 않고서는 가정과 학교의 분위기(雰圍氣)가 살아나지 않는다.

기(氣)를 살리자. 이웃과 눈빛, 대화, 사랑을 되살리자. 나의 기와 상대방의 기를 나눌 때 우리는 기분(氣分)이 좋고, 그런 사람들이 많은 곳은 당연히 분위기(雰圍氣)가 좋게 된다. 분위기를 좋게 하는 사람은 결국 기품(氣品) 있는 사람이 되고, 기품 있는 사람이 모이면 저절로 품격(品格) 있는 사회가 되기 마련이다. 그래서 아이들의 교육도 어릴 때부터 기분(氣分) 좋게 만들어 주어야 한다.

서로 기를 나누는 경험을 맛보게 해야 한다. 기를 나누어 기분이 좋아지면 기(氣) 찬 아이가 되고, 기가 꽉 차면 기특해지고, 나아가 영특해진다. 기분(氣分) 좋은 방법, 즉, 기(氣)를 잘 나누는 것을 배우지 못하면 나만 알게 되고, 나누지 않고 나 혼자만을 생각하는 '나뿐인 사람' 즉, 나쁜 사람이 되고 만다. 기(氣)를 알아야 하는 이유이다.

너는 어디에 마음이 가니?

우리 선조들은 '심기혈정(心氣血精)'이라고 하여 마음(心)에서 기(氣)가 생기고, 기(氣)가 생기면 혈(血)이 움직이고, 혈이 움직이면 정(精)이 충만해진다고 하였다. 무슨 일이든지 기(氣) 차게 하려면 마음이 먼저 일어나야 한다는 뜻이다.

아이들이 기분 좋고, 생기 있고, 활기차기를 바란다면 내 아이의 마음이 어디에 있는가를 관찰할 필요가 있다. 아이의 마음은 관찰하지 않고 그냥 공부만 잘하면 된다고 여기거나 높은 점수를 받고 좋은 학교로 진학만 하면 된다고 생각하는 경우가 많다. 여기에서 공부 잘한다는 그 공부도 진정한 의미의 공부가 아니다. 자녀의 마음이 온전이 가지 않는 공부를 통해 활기(活氣)찰 리가 없다. 현장의 교사들이 힘들어하는 학생들 중에는 무기력한 학생들이 많다고 한다. 축 처져서 만사를 귀찮아하며 왜 해야 하냐고 되묻는다고 한다.

활기(活氣)가 없는데 피(血)가 움직일 리가 없다. 피가 움직이지 않는데 정력(精力)이 있을 리가 없다. 사랑하는 사람을 만난다는 생각(心)만 해도 벌써 활기(活氣) 차고, 피가 빨리 돌고, 몸에 힘(精力)이 솟아오른다. 이것이 심기혈정(心氣血精)의 원리이다.

아이들의 마음이 가 있는 곳, 생각만 해도 활기 차고 설레는 일을 찾아주는 것이 교육이다. 그래서 아이들의 마음을 읽는 교육이 먼저다. 그림을 그릴 때 설레는지, 운동을 할 때 설레는지, 요리를 할 때 가슴이 뛰는지 살펴야 한다. 아이 자신도 자신을 살펴야 하고 부모도 그런 아이를 잘 살펴야 한다. 그렇지 않으면 모두가 힘들어진다. 지금 우리 시대 부모와 자식이 서로 힘들어하는 이유의 상당 부분이 바로 여기에 있다.

이것은 국가가 해결하기 어렵다. 국가가 어떤 교육정책을 내놓아도 가정에서 부모들이 아이들의 마음을 읽지 않고, 오로지 점수와 대학 입시에만 매달리면 영원히 피곤한 부모와 자녀로 힘든 생활에서 벗어나지 못할 것이다.

국가의 교육정책으로 사회를 바꾸기 어렵다. 아무리 훌륭한 입시제도가 나오더라도 학생들은 나뉘게 마련이다.

개인의 품격 있는 의식이 모여 높은 품격의 국가가 이루어진다. 국가가 개개인의 의식을 높여 품격 있는 사회가 되는 것은 쉽지 않다. 각자의 향기가 뿜어져 세상이 향기로 가득 차는 것이지 세상의 향기가 내 몸에 닿아 나의 향이 되기는 어렵다.

이제는 어른들이 바뀌어야 할 시점이다. 우리가 언제까지 가족보다 성적이 중요하고, 자식의 성적에 온 식구가 울고 웃고, 가족의 기(에너지)를 몽땅 성적에만 쏟아부을 것인가? 성적이 좋을 때만 화목할 것인가? 성적보다는 내 아이가 정말 좋아하는 것이 무엇인지 끊임없이 살펴보자. 그것이 부모의 역할이다. 관심을 갖고 계속 지켜보고 대화를 하자. 무조건 성적 올리기가 아니고, 좋아하고 마음이 가는 것을 찾아주는 부모가 되어야 한다. 물론 부모는 자식이 정말 좋아하는지, 우선 어려운 것을 회피하려고 하는 것인지를 봐야 한다. 그것이 부모가 자식에게 가르쳐 주어야 할 진정한 교육이다.

아이들에게 질문을 자주 하자.

"너는 어디에 마음이 가니? 너는 무엇이 궁금하니?"

무기력에서 벗어나는 길

나는 아이들이 어릴 때 가족회의에서 텔레비전을 보지 않겠다고 선언한 이후 집에서 텔레비전을 거의 보지 않는다. 텔레비전은 가족 간의 광음파(光音波)를 가장 강력하게 빨아들이는 귀신이다. 부모와 자식, 형제간의 눈빛(光)을 모조리 텔레비전이 가져간다. 가족 간의 대화(音)도 전부 흡수해 버린다. 가족 구성원 간 나누어야 할 사랑과 존경의 파장을 텔레비전 속 연예인에게 전한다.

한번 지나가면 절대 되돌릴 수 없는 가족 모두의 시간도 텔레비전이 앗아간다. 아버지가 화초에 물 줄 시간도, 아이의 독서시간도 앗아간다. 어머니가 자녀의 교복을 정성스럽게 다림질해 줄 시간도 앗아간다. 고마운 사람에게 조용히 편지 한 장 쓸 시간도 없다. 우리 교육이 바로 서려면 가정의 텔레비전시청 문화부터 바꾸어야 한다. 텔레비전은 필요한 내용을 선택해서 보도록 하는 교육이 무엇보다도 필요하다.

내가 텔레비전에서 벗어날 수 있는 도(道)라지를 캐보니 너무나 좋다. 텔레비전이 우리 모두의 광(光), 음(音), 파(波)를 블랙홀처럼 빨아들이면, 다음 날 출근한 직장인들은 기력(氣力)이 쇠하다. 무기력(無氣力)하여 활기찬 생활을 방해하게 된다. 우리 가족의 기(氣)인 광(光), 음(音), 파(波)를 텔레비전 귀신으로부터 지켜내고 우리 가족의 기를 되살려서 분위기를 좋게 하자. 더 이상 내 자녀가 무기력하게 살아가지 않도록 하자.

요즘 아이들은 친구와 기(氣)를 나누는 시간이 부족하다. 학교와 학원에서 공부하기 바쁘다. 잠시 시간이 생기면 인터넷과 나누고, 게임과 나눈다. 게임, 인터넷은 나누면 나눌수록 기력(氣力)이 쇠해진다. 이런 매체들은 서로가 나누는 것이 아니고, 일방적으로 기(氣)를 빼앗아 간다. 부모님, 친구, 선생님에게서 나오는 자연 생명체의 기(氣)가 없기 때문이다.

엄마 아빠를 균형 있게 부르며 음양의 조화를 알고 나면 기분(氣分) 좋은 방법, 기(氣)를 잘 나누는 방법을 바르게 가르쳐야 한다. 우리 아이의 밝고 맑고 총명한 기운(氣運)을 게임과 인터넷에 빼앗기게 해서는 안 된다. 그래서 올바른 습관 형성이 중요하다. 부모들이 꼭 명심해야 한다. 아이들 보고 너는 잘하고 있냐고 말하지 말고, 나는 잘하고 있는가를 살펴보면 된다. 아이들은 부모의 말대로 자라지 않고 부모의 모습에 따라 자란다. 부모가 텔레비전을 끊으면 자녀들은 따라서 자라게 마련이다.

외부에서 우리 가족의 기(가족 간의 눈빛, 대화, 사랑)를 가장 많이 빼앗아 가는 것이 텔레비전이라고 하였다. 가족에게 보내야 할 기($氣$)를 가수나 배우에게 보낸다. 그래서 가정의 문화를 깨뜨리는 가장 큰 걸림돌이 텔레비전이다. 이것 하나만 지켜도 가정 문화의 차원이 달라지고 아이들 학습 태도가 달라지고 생활 습관이 달라진다. 가정의 평화가 시작된다.

이미 내려와 있다 너에게,
마음이

심기혈정(心氣血精), 심(心)은 생각, 정보를 포함하는 말이다. 여기서 심은 뇌에 가까운 낱말이다. 기(氣)는 가슴의 이야기다. 용기(勇氣), 독기(毒氣), 살기(殺氣)는 모두 여기에 포함된다. 혈(血)과 정(精)은 몸의 이야기다.

초등학교에서 흔히 말하는 '학교짱'은 혈(血)과 정(精)이 우세한 아이가 된다. 쉽게 말해 덩치가 크고 힘이 세면 유리하다. 유치원, 초등학교 저학년은 대부분 덩치 큰 아이가 짱이 된다. 초등학교 고학년이나 중학교 고등학교로 가게 되면 상황이 달라진다. '학교짱'이 되려면 덩치도 중요하지만 독기 있는 아이들이 짱이 된다. 기(氣)의 문제로 올라간다. 긍정적인 의미의 기(氣)인 용기(勇氣)보다 독기(毒氣) 있는 아이가 짱이 되는 것이다. 그래서 혈(血)과 정(精)보다는 기(氣)가 더 우위에 있다. 윷놀이를 하나 하더라도 기세(氣勢), 즉 기(氣)의 세력에서 밀리면 진다. 조폭 두목 치고 덩치 큰 두목은 별로 없다. 오히려 덩치는 작아도 깡이 있는 경우가 많다. 깡은 기세(氣勢)이다. 깡이 있고 독기(毒氣)가 가득한 조폭 두목도 한순간에 무너질 때가 있다. 그것은 바로 마음, 정보이다.

골목에서 담배를 피우는 고등학생에게 지나가는 아저씨가 "학생, 여기서 담배 피우면 되나? 빨리 집에 가요"라고 하였다. "아저씨가 무슨 상관인데요. 아저씨가 담배 사는데 보태준 거 있어요?"라고 대든다. "너 혹시 아랫동네집 누구 아들 아니냐?"라고 하면 금방 그 학생은 담뱃불을 끄고 도망치듯 가버린다. 나를 모르는 지나가는 아저씨랑 나의 아버지가 누구인지를 아는 아저씨랑은 달라지는 것이다. 기보다 우위에 있는 것은 생각, 정보이다.

전쟁터에서 이기려면 체력을 길러서 몸짱이 되어야 되지만 더 중요한 것은 용기가 있어야 한다. 그보다 더 중요한 것은 정보이다. 이순신이 강강술래로 아군이 많아 보이는 것처럼 한 전략으로 전쟁에서 이기기도 한다. 어떤 정보가 나의 뇌에 있느냐에 달라진다. 애국심이 뇌에 있으면 가슴에서 용기가 생기고 몸이 움직인다. '나라가 나에게 해준 게 뭐가 있는데'라는 생각만 뇌에 저장되어 있으면 용기가 생기지 않고 몸에 힘이 빠진다.

'태권도 사범들은 한 겨울 새벽에 수십 명이 맨발걷기를 해도 왜 동상이 안 걸리는가? 온기를 돌리는데 기는 어떻게 무슨 힘으로 돌리지?'

이 화두는 나의 큰 숙제이고 공부거리였다. 그리고 그 공부가 너무 재미있었다. 도대체 우리말에 온통 들어있는 이 기의 원리는 무엇이지? 사전을 찾고, 역사책을 읽고, 고전을 읽었다.

어느 날 한 문장을 만난다.

"강재이뇌신(降在爾腦神)"

"이미 내려와 있다. 너의 뇌에 신(神)이."

여기서 신은 하느님, 부처님, 알라신과 같은 종교에서의 신이 아니라 나의 뇌에 있는 마음, 정보와 같은 의미임을 나는 느꼈다. 뇌 안에 있는 생각, 마음, 정보가 기(氣)를 일으키고, 기는 혈을 일으키고, 혈은 정을 일으키는 원리를 나는 이해할 수 있었다. 뇌에 겨울은 동상이 걸리기 때문에 맨발걷기를 못한다는 생각이 있는 사람은 절대로 하지 못하는 것이다.

내 고향 친구 중에는 태권도 사범 유단자들이 많다. 내 친구와 단태권도 사범의 차이가 뭘까하고 많은 관찰과 토론을 해보았다. 처음에는 단태권도 사범들은 기를 잘 돌리는 고수들인 줄 알았는데 대화를 하고 공부를 하면 할수록 단태권도 고수들은 기도 잘 터득한 사람들이지만 사실 뇌를 더 이해하고 뇌와 기가 어떻게 관련이 있는지를 더 깊이 있게 공부한 것 같았다. 나는 겨울에 맨발로 걸어도 동상에 걸리지 않는다는 것을 여기서 배웠다. 그 근본은 온기를 발아래로 내리는 운기수련이 아니고, 겨울이라도 동상에 걸리지 않는다는 그 마음, 그 생각, 그 정보라는 것을 깨달았다. 불교에서의 일체유심조(一切唯心造)도 같은 원리다.

이미 우리 뇌에는 어떠한 선택도 할 수 있는 신이 있다. 겨울이면 동상에 걸리니까 맨발로 걷지 못한다는 신이 내려오면 절대로 못한다. 겨울이라는 것은 우리가 만든 정보이고 나의 뇌에는 겨울은 없다. 내가 할 수 있는 가장 따뜻한 낮에 하면 할 수 있다고 생각하면 할 수 있는 것이다. 어제 한 사람은 오늘 할 수 있고, 오늘 한 사람은 내일 할 수 있다. 나는 겨울 맨발걷기를 하면서 진정 나의 뇌의 주인이 되었다.

4부
맨발걷기
체험사례

　4부에서는 대한민국 맨발학교에서 겨울 맨발걷기를 실천하고 맨발걷기 교육을 하고 있는 회원들의 체험사례를 소개한다. 귀한 체험을 나누어주신 맨발학교 김성미, 김영희, 최순나, 박진형, 유영희, 김미자 님께 감사를 드린다.

겨울 밤 맨발로 맨땅 걷기

교사 유영희, 맨발걷기 6년차

저녁을 먹고 맨발걷기 하러 나간다. 나갈까 말까 몇 번을 망설이다 주섬주섬 옷을 찾아 입는다. 영하의 날씨다. 갑작스러운 한파가 왔다고 한다. 밖은 어둡고 춥다. 방한이 잘 되는 내복을 두 겹 입고 목까지 오는 두꺼운 스웨터를 입고 바람막이 잠바에다 롱패딩도 입는다. 모자도 쓰고 장갑도 낀다. 신고 나갔던 운동화를 벗고 찬 운동장에 발을 내딛는다. 운동장을 몇 바퀴 걷는다. 견딜만하다. 집안에서 머리로만 생각할 때는 도저히 불가능할 것 같았던 겨울밤 맨발걷기가 이어진다. 10여분이 지나니까 발이 시려온다. 점점 시려온다. 바로 이 때다. 이 고비를 넘겨야 한다. 이때를 참고 계속 걸으면 발이 다시 따뜻해진다는 것을 알고 있다. 그래서 할 수 있다. 얼얼하던 발이 다시 걸을 만큼 평온해지는 그 경험은 언어로 표현하기 어려운 묘한 성취감을 가져다준다.

　몇 번의 겨울 맨발걷기를 경험하고 나니 나만의 요령이 생겼다. 발이 몹시 시려도 꾹 참고 그 고비를 넘겼던 초창기와는 다르게 요즘은 굳이 참지 않을 때도 있다. 참기 어려울 만큼 발이 시릴 때 운동장 모퉁이에 벗어두었던 운동화나 슬리퍼를 신는다. 슬리퍼만 신어도 살 것 같다. 어떤 날은 엄지발가락이 몹시 시리고 어떤 날은 발바닥 쪽이 더 시리기도 하고 어떤 날은 새끼발가락이 유난히 시리기도 하다. 헌 운동화를 구겨 신고 다시 걷는다. 날씨가 추우니까 굳이 손을 내어 신발을 바르게 신는 것도 쉬운 일이 아니다. 운동화만 신어도 따뜻한 아랫목 같다. 살 것 같다. 운동화를 신고 운동장 서너 바퀴를 걸으면 시렸던 발이 다시 풀리는 것 같은 순간이 온다. 운동화를 벗어두고 다시 맨발로 걷기 시작한다. 한두 차례 이 과정을 넘기다 보면 시간은 30여분이 지나고 그때부터는 영하 10도의 날씨인데도 겨울밤 맨발걷기가 가능해진다. 다시 한참을 걸으면 발이 조금 더 시려졌다 다시 걸을 만 해졌다를 천천히 반복하게 된다. 발이 시려지지만 처음처럼 그렇게 심하게 시리지는 않기 때문에 운동화를 신었다 벗었다 하지 않아도 될 만큼이다. 걸을 만하다. 그렇게 고비를 넘기고 나면 2시간도 거뜬히 걷는다. 영하의 날씨인데도 말이다. 차가 웠던 발이 다시 따뜻해지는 경험을 하는 것, 겨울 맨발걷기의 꽃이다. 나는 그 순간이 좋아서 겨울 맨발걷기는 다른 계절보다 긴 시간 걸을 때가 많다. 치과에서 마취로 얼얼해진 볼이 다시 풀리는 것 같은 느낌, 내 온몸이 차가워진 발을 위해 혈액순환을 빨리 해서 도와주고 있다는 것이 느껴질 때가 있다. 신기한 체험이다. 겨울 맨발걷기를 하고 집으로 돌아오는 길, 뭔가 큰 일을 해냈다는 뿌듯함이 있다. 겨울 맨발걷기만의 특별함이다.

여덟 살도 잘할 수 있는 겨울 낮 맨발걷기

교사 최순나, 맨발걷기 8년차

겨울 낮이다. 한 낮이지만 영하의 날씨란다. 옷을 따뜻하게 입고 동네 뒷산으로 향한다. 산 입구에는 바람이 세차다. 하지만 맨발로 땅을 디디면 놀라울 때가 많다. 생각보다 땅이 따뜻하다. 특히나 양지바른 곳은 아주 따뜻하다. 한 겨울, 바스락 거리는 낙엽에 내려앉은 겨울 햇살을 느끼며 맨발로 걷는다. 참 행복하다. 자세히 보면 이른 봄 피어나는 부지런한 봄까치꽃의 파란 꽃잎도 만나고 광대나물의 분홍 꽃도 만난다. 한겨울인데 말이다. 다 얼어붙고, 다 죽은 것 같은 겨울이지만 햇살이 잘 드는 곳은 생명이 숨 쉬고 싹을 틔우고 꽃을 피운다. 그런 길을 맨발로 걷는 건 겨울에도 쉽다. 동네 어귀 작은 집, 양지바른 처마에 어르신들이 모여 햇살을 쬐는 모습이 생각난다. 그 햇살의 따사로움, 찬 바람도 잠시 멈추어 주는 그 공간을 겨울 맨발로 다시 만날 수 있다. 겨울이니까 다 추우리라는 편견을 버리고 자연을 찾아 나서면 생각보다 걸을 만하다.

겨울 방학을 앞둔 12월 어느 날, 낮 시간, 아이들이 맨발로 운동장을 달려 나온다. "우리 학교는 운동장에도 보일러 놓았나 봐요." 겨울 햇살이 데워놓은 맨땅을 맨발로 디딘 아이들의 재미있는 반응이다. 운동화를 벗고 맨발로 만나는 맨땅은 생각보다 따뜻하다. 겨울 햇살 덕분이다. 그 따뜻함은 자연의 것이고 그건 참으로 순수하고 건강한 따뜻함이다. 그래서 아이들과의 겨울 맨발 산행도 가능하다. 난방이 된 집안에 앉아서 머리로만 생각하면 불가능할 것 같은 일이 용기를 내어 나서면 별로 어렵지 않게 가능한 일이 될 때가 많다.

아이들과 함께 맨발걷기를 시작해서 여덟 번째의 겨울을 기다리고 있다. 그 여덟 번의 겨울 맨발걷기를 3학년, 4학년과 다섯 해, 1학년과 세 번째 해를 보내고 있다. 주변 아파트 그늘에 덮인 운동장과 햇살을 받은 운동장의 온도가 엄청나게 다르다는 것을 아이들은 처음 알았다. 보온이 뛰어난 운동화를 신고 콘크리트 건물에서 뿜어져 나오는 냉기로만 기억되는 아이들의 겨울 날씨는 겨울에도 정수리가 따뜻해지는 햇살이 있음을 알게 되고 발바닥에 닿는 운동장이 별로 차갑지 않음에 놀란다. 첫 경험이다. 지식으로 알고 있던 영하의 날씨가 가지는 특징과 지금 자신이 온몸으로 만난 겨울이 다름을 배운다. 30여분 맨발로 뛰어놀던 아이들이 수돗가로 간다. 맨발을 찬물에 씻는다.

"선생님, 운동장에 있는 수돗가에도 따뜻한 물이 나와요."

겨울 맨발을 걷고 찬물에 발을 씻으면 미지근하게 느껴진다. 수돗물을 손으로 만져보라 했더니 차갑다고 한다. 이건 뭐지? 아이들의 얼굴이 호기심으로 반짝인다. 왜 그럴까? 탐구해 보자

영하의 날씨지만 한낮의 맨발걷기는 해 볼 만하다. 여덟 살 우리 반 아이들도 잘한다. 다만 부모님의 염려가 없을 때만 가능하다.

"오늘은 낮 시간에도 영하 5도니까 맨발걷기 하기 어려울 거야. 안 하면 좋겠어."

어떤 부모는 등교하는 아이를 붙잡고 부탁을 한다. 낮

시간, 겨울 햇살이 생각보다 따사롭고 방한이 잘 되는 겉옷을 입고 아이들은 운동장으로 나간다. 친구들이 맨발로 뛰어다닌다. 부모의 부탁 때문에 걱정이 많다. 하고 싶어하는 눈치다. 이런 경험은 아이들과 맨발걷기 할 때 여러 번 겪었다. 아이 자신이 귀찮고 싫어서, 두려워서 하기 싫어하는 경우도 있지만 그보다 훨씬 더 많은 경우는 부모의 염려 때문에 도전의 순간에 머뭇거리기도 한다. 부모의 생각이나 말 한마디가 아이의 학교 생활에 어마어마한 영향을 미친다는 것을 새삼스럽게 느낀다.

"너는 어떻게 하고 싶어?"

"저는 오늘도 맨발로 걷고 싶어요."

3학년쯤 되면 자기가 판단해 보고 알아서 맨발로 걷고 집에 가서 어머니께 잘 말씀드리면 된다고 씩씩하게 걷기도 한다. 힘든 것, 조금 두려운 것을 용기 있게 해 볼 때 몸도 마음도 자란다. 처음에 발이 조금 시리지만 곧 괜찮아지고 시린 발끝은 잠시 참을 수 있는 능력이 길러진다. 도전해보지 않고 머리로만 아는 것과는 다른 배움이 일어난다. 겨울 맨발걷기를 통해 아이들은 면역력만 길러지는 것이 아니라 스스로 선택한 어려운 일을 끝까지 해낼 수 있는 힘도 길러진다.

우리의 몸은 우리가 생각하는 것보다 신기하고 기특하다. 어린아이일수록 발이 따뜻하다. 아기들은 배우지 않아도 자연스레 복식 호흡을 하는 것처럼 어른들보다 아이들의 발바닥은 훨씬 따뜻하다. 아이들과 함께 지내면서 겨울에도 양말과 신발을 답답해한다는 것을 알게 되었다. 1학년과 수업을 할 때면 교실에서 맨발로 지낼 수 있다고 하면 대부분이 아주 좋아하며 양말을 벗어던진다. 교실 여기저기에 벗어놓은 양말이 돌아다녀 힘들 때도 있지만 아이들은 해방감을 느낀다. 겨울 매서운 추위 속에서도 아이들은 말한다.

"선생님, 제 발 만져보세요. 정말 따뜻해요."

어른의 시선으로 함부로 아이들을 판단하고 정해놓은 틀에 가두지 않아야 한다는 것을 겨울 맨발걷기를 통해 깨닫는다. 나의 어린 시절을 돌아보면 추위가 무섭지 않았다. 방한이 잘 되지 않는 허름한 옷을 입고도 하루 종일 겨울 들판과 얼음 언 시냇가를 뛰어다니며 놀았고 아무 일이 일어나지 않았으니까 말이다.

요즘 아이들은 겨울에 실외에서 얼음이 언다는 사실을

모른다. 영하의 날씨인 어느 날 우유갑에 물을 넣어 얼음을 얼리고 그 얼음으로 얼음 목걸이와 얼음 풍경을 만들기로 했다. 아이들이 교실에 냉장고가 없는데 어떻게 얼음을 얼리냐고 걱정스럽게 물었다. 영하의 날씨가 계속되고 도로 곳곳에 빗물 고인 곳이 얼음으로 변해있어도 자세히 본 적이 없다. 실내에서 실내로, 자동차에서 집으로 이동하기 바빠서이기도 하다. 냉장고가 없는데 어떻게 얼음을 얼리지? 물을 반쯤 채운 우유갑을 가지고 학교 화단으로 나가서 햇볕이 잘 안 드는 그늘에 두고 이틀을 기다렸다. 우유갑의 물이 꽝꽝 얼었다. 신기해하는 아이들과 함께 빨대로 구멍을 내어 얼음풍경(風磬)을 만들었다. 땡그랑땡그랑 맑고 고운 소리가 난다. 아이들은 겨울의 날씨와 온도 등 실내가 아닌 자연상태의 겨울을 잘 모른다. 겨울에도 여름 과일을 쉽게 먹을 수 있고 사시사철 잎채소를 쉽게 먹을 수 있다. 그래서 우리는 철없이 지낸다. 맨발걷기 교육을 하면서 아이들과 함께 겨울을 겨울답게 보내고 찬란한 봄을 기다릴 수 있어 참 좋다.

열두 명의 아이들과 겨울 맨발 산행을 하다

교사 최순나, 맨발걷기 8년차

　토요일 아침, 희망하는 3학년 아이들 12명과 함께 앞산을 올랐다. 비교적 포근한 날씨였지만 그래도 12월 1일은 겨울이다. 출발장소인 공룡공원에서부터 운동화를 벗어서 배낭에 넣고 출발한다. 낙엽 밟는 소리를 들으며 3.7km 정상까지 도착했다. 6명은 산행 내내 맨발로 걸었고 6명은 거친 돌이 있는 길만 운동화를 신고 오솔길은 맨발로 걸었다. 여학생 6명과 남학생 6명이었는데 여학생이라고 뒤처지지 않았다. 하행 길은 혹여 마른 나뭇잎에 미끄러질까 봐 속도를 줄였다. 5시간 남짓 7.4km의 겨울산을 맨발로 오른 이 경험은 시간이 지나도 최고의 배움의 순간이었다. 교실에서 국어, 수학, 사회, 과학 열심히 수업한 것은 기억조차 나지 않지만 토요일 한 나절의 이 체험은 아이들을 바꾸어 놓았다. 어려운 일도 해낼 수 있는 힘, 친구와 함께 한 기쁨. 아이들은 내내 이 날의 경험을 자랑한다. 자존감 회복은 도전하고 노력하고 성공하면서 가능한 것이다. 그날의 기록을 공유한다.

2018년 12월 1일 토요일 선생님의 일기

지난봄 아이들과 앞산 나들이를 하고 너무 좋아서 가을에는 꼭 두어 번 아이들과 앞산을 가야겠다고 마음먹었는데 주말에 연수다 뭐다 해서 시간을 못 내었다. 더 늦기 전에 꼭 가야겠다 했는데 겨울 산행이 되어 버렸다. 12명의 아이들과 고산골 공룡공원에서 아침 8시에 만났다. 앞산 맨발걷기 체험 신청서를 받을 때 많이 걸을 수 있는 사람만 신청하라고 했는데도 우리 반 24명 중에 반이 신청했다. 내가 도착하니 먼저 온 아이들은 어느새 맨발이다. 아이들과 함께 운동화를 가방에 넣고 걷기 시작했다. 2018년 12월의 첫날 아침이다. 아이들은 봄날의 산행을 떠올리며 걷고 또 걸었다. 나뭇잎 바스락 거리는 소리가 정겹다. 지난봄과 다르게 오늘의 겨울 숲 체험 프로그램은 단

하나다. 겨울 산을 걷는다. 그리고 또 걷는다. 맨발로도 걸어본다. 계획된 체험시간이 4시간이니까 2시간 정도는 올라가고 2시간은 내려와야겠다고 마음먹었다. 산길로 접어들었다. 아이들의 재잘거림이 겨울 산을 채운다. 규빈, 민호, 희원, 민영이는 어느새 선두자리를 차지했다. 멈춰서 같이 가자고 몇 번 말했지만 자꾸만 앞서 걷는다. 자기들끼리 속도를 내어 걷는 것을 즐기고 있는 모습이 보인다.

'선생님 목소리가 들릴 만큼 앞서서 걷는 것'을 허용해 주었다. 오르막에서는 덜 위험하다고 판단해서이다. 아이들은 스스로의 속도를 선택하고 걷는 것이 신나는 모양이다. 오로지 집중해서 걷는 뒷모습이다. 아이들의 마음이 보였다. 조금의 두려움을 안고 친구들끼리 함께 한 걸음씩 나아가 보는 기쁨, 주변에 간섭하는 어른 없이 낯선 길을 걸어보는 설렘, 그리고 모험을 즐기는 모습이다.

다치지 않게 조심해서 걸으라고 했더니 '우리가 어린애인 줄 아세요.'라는 답이 돌아온다. 중간쯤 오르니 아파트가 성냥갑으로 보인다. 아이들은 산 아래 풍경에 환호한다. 호연지기. 잊었던 말이 떠오른다. 신라의 화랑들은 산을 오르며 호연지기를 길렀다지. 우리가 주로 앞산이라 부르는 산성산 정상까지는 3.7km이다. 산길을 그렇게 길게 걷는 것은 무리일 것 같아 비교적 천천히 걸었다. 그런데 아이들은 대단했다. 3km를 넘어서니 힘도 들었고 내려갈 길이 걱정되어 그만 돌아갔으면 했는데 아이들 대부분이 안타까워한다. 여기까지 왔는데 끝까지 가보고 싶어 했다. 뒤 따라오던 아이들도 여기서 멈출 수 없다고 한다. 산성산 정상은 사실 정상에 가도 갑자기 넓어진 공간이 나와서 실망할지도 모른다고 해도 그래도 가보고 싶어 한다. 자발적인 힘을 느낀다. "얘들아. 참고 가봐야지. 정상까지 그래도 가야 하지 않을까?"라고 교사가 권했다면 수 십 가지 이유를 대며 싫다고 했을지도 모른다. 그런데 자신들의 선택이니까 아무도 힘들지 않다고 한다.

고지를 바로 앞에 두고 낙엽 쌓인 곳에 앉아서 잠시 휴식을 했다. 그리고 2시간 걸어온 느낌을 함께 나누었다. 하도 기특해서 영상을 찍어 두었다. 스스로를 대견해하는 아이들 모습이 좋아 보였다. 12월 1일이면 아무리 포근해도 겨울이다. 그것도 오전 시간, 그것도 3학년 아이들이 맨발로 아무렇지도 않게 겨울 산을 2시간이나 올라왔다. 그런데 아이들은 대수롭지 않다는 표정이다. 낙엽이 부서진 길은 미끄럽기도 하여 내려갈 길을 걱정하는 나와는 달리 아이들은 여기서 좀 놀다 가면 안 되냐고 신나서 좋아라 한다. 드디어 정상이다. 산성산 정상이라는 안내판 앞에서 우리는 기념사진을 찍었다. 열두 명의 아이들의 평생에 기억될 순간이 될 것을 예감한다. 가지고 온 간식을 나눠먹었다. 하산은 늘 위험이 도사린다. 그래서 여러 번 안전에 주의하라는 것을 부탁하고 또 부탁했다. 마음을 가다듬고 천천히 내려왔다. 12명의 아이들이 한 줄로 내려와야 하는데 서로 앞서 오고 싶어 다툼이 날 지경이다. 선생님과 같이 걷고 싶다는 거였다. 뒤에 따라와도 우리 모두는 함께 걷는 거라고 이야기해 주고 중간중간, 걷는 순서를 바꾸어주었다. 봄을 기다리는 겨울 눈도 관찰하고 아직 나뭇잎이 남아 있는 곳에서는 예쁜 단풍도 보았다. 옷을 벗어던진 나목의 아름다움, 특히나 나무의 다양한 빛깔이 참 세련되었다. 발바닥으로 느껴지는 쌓인 낙엽의 푹신함, 내려오는 길, 낙엽을 베개 삼아 겨울 산에 누워 잠시 하늘을 보았다. 아이들은 이 순간을 기억하리라. 그런데 아이들 스스로도 쫑알쫑알 말한다.

"선생님, 자신감이 확 생긴 것 같아요. 오늘이 소중한 추억이 될 거예요."

"저는 이렇게 많이 처음 걸어봤어요. 앞산이 조금 큰 산인 줄 알았는데 이렇게 높은 줄은 몰랐어요."

추억이 되기 전에 지금의 이 순간을 추억이 될 거라고 말하는 열 살 아이들이 기특하다. 높은 곳에서 우리가 넘어온 작은 산이 보인다. 우린 지금 저 산 봉우리를 넘어서 다시 내려갈 거야. 설명해 주었더니 우리가 넘어서 걸어가는 길이 아까 위에서 본 그 작은 산봉우리라는 사실이 신기하다고 말한다. 자기들끼리 재잘재잘 이야기하는 거 보면 웃기기도 하고 신기하기도 하다. "00아, 너 요즘 어떤 장난감 좋아해? 나, 요즘 좋아하는 장난감 없는데, 심심하면 책이나 보고 그러지. 그래? 그럼 게임은? 내가 좋아하는 게임은?"

익숙하지 않은 그들만의 대화를 듣고 있으면 아이들이 평소와 달리 의젓해 보인다. 교실을 벗어나 자연에 나온 아이들은 늘 교실에서보다 커 보인다. 돌봐줘야 할 대상이 아닌 선생인 나와 동행하는 한 사람의 인격체로 느껴져서 참 좋다.

등산길에서 만난 어른들의 반응을 보면서 몇 아이들이 투덜댄다.

"선생님, 왜 저 사람들은 맨발걷기의 좋은 점을 아직도 몰라요? 안타까워요."

"추운데 어떻게 맨발로 여기까지 왔냐 해서 우리가 맨발걷기의 좋은 점을 설명해 주었어요."

발 시리지 않냐? 발 찔리지 않냐? 위험하다고 해서 뭘 모르고 하시는 말씀이구나 생각했다고 한다. 그 말에 한참 웃었다. 놀라운 아이들이다. 어른들은 칭찬보다 걱정이 많았지만 "대단하다. 어떻게 너희들이 여기까지 올라왔냐? 앞으로 큰일도 하겠다. 어이구 기특하다."는 어른들의 반응도 있다. 혼자가 아니기에 부정적인 주변의 반응에 용기를 내어 자신들의 의견을 피력하는 아이들 모습이 기특하다. 어른들의 정해진 시선에 부딪히며 살아가야 할 다음 세대의 힘듦을 지켜보는 것 같아서 마음이 짠하기도 했다.

겨울 맨발걷기는 세상의 편견에 도전하는 기회다. 맨발걷기 자체의 긍정적인 효과 말고도 주변의 시선을 어떻게 인식하고 어떻게 독립적인 사고를 할 것인가. 나를 포함한 세상은 얼마나 쉽게 자신의 잣대로 세상을 평가하는가를 깨닫게 되는 좋은 공부가 된다. 나도 그런 안경을 쓰고 있지는 않은가 반성도 하게 된다.

맨발바닥으로 만나는 자연은 얼마나 따뜻하며 다양한 느낌을 주는가? 온몸이 건강해지는 느낌은 맨발걷기로 몸속 정전기를 줄여준다는 이론적인 지식이 없더라도 내 몸이 스스로 느끼는데 말이다.

7.4km의 산길을 맨발로 5시간 여 만에 걷는다는 건 대단한 일이다. 이러한 성취의 경험이 아이의 몸과 마음을 키울 것이다. 특히 3월에 만났을 때 체력이 약했던 몇몇 아이들의 변화는 놀라웠다. 아이들을 위해 자발적으로 토요일 오전 시간을 내길 잘했다. 기회가 되면 한 번 더 가고 싶다. 오늘은 이후 다른 약속이 있어서 바로 헤어졌지만 다음에는 내려와서 희원이의 바람처럼 뜨끈한 콩나물국밥도 함께 먹고 싶다. 이 아이들과의 이별이 벌써 걱정이다. 내 마음이 전해졌는지 아이들이 말한다. 4학년 때도, 5학년 때도 6학년 때도 주욱 같이 진급하자고 한다. 그래서 자기들 졸업할 때 선생님도 같이 이 학교를 떠나면 된다고, 이런 이야기들을 나누며 출발지인 앞산공룡공원까지 무사히 내려왔다.

오늘 겨울 숲 산행에 가은이 아빠의 도움이 컸다. 혹시 모를 안전사고에 대비해 비상차량이 필요할 것 같아 알림장으로 안내를 슬쩍 드렸는데 흔쾌히 함께 해 주셔서 얼마나 큰 도움이 되었는지 모른다. 앞 쪽에서 내가 아이들을 안내하면 후미에서 아이들을 다 챙겨 와 주셨다. 감사한 마음이 가득이다 덕분에 안전하고 마음 편하게 체험을 할 수 있었다.

"얘들아? 어떻게 우리가 이렇게 긴 거리를 무사히, 즐겁게 걸을 수 있었을까?"

"친구들과 선생님과 함께 했기 때문이에요."

"맞아. 혼자 걸었더라면, 부모님과 함께 왔더라면 절대로 할 수 없었던 일이야. 내 마음을 알아주는 친구와 함께 했기 때문이야. 이렇게 함께 가는 거야, 배움도 삶도, 여행도,

규빈, 민호, 서윤, 나연, 지윤, 지율, 희원, 승윤, 승준, 다은, 민영, 가은, 서로의 이름을 오래 기억하길"

출발부터 도착까지 맨발교실의 주인공답게 맨발만을 고집해서 어지간한 맨발걷기 고수도 힘든 맨발산행을 성

공한 여섯 명과 잠시 자갈길에서만 운동화를 신은 여섯 명, 열두 명 나의 제자들 정말 대단하다. 3월부터 맨발로 줄넘기도 하고 이어달리기도 하고 오래 달리기도 한 꾸준함이 낳은 선물이라 여긴다. 고맙다. 덕분에 오늘 선생님의 일기는 감동으로 마친다.

오히려 여름 맨발걷기가 걱정이다

교사 김미자, 맨발걷기 5년차

11월 초에 맨발걷기를 시작한 나는 여름 맨발걷기가 걱정이었다. 잘해 낼 수 있을까? 겨울에는 벌레도 없고 습하지 않아 깔끔했던 뒷산인데 여름에는 걸을 수 있으려나. 애벌레들이 즐비할 테고 송충이가 기어 다닐지도 몰라 장마철 숲길은 걸을 수가 있을까? 아까시 향기 달콤함이 지나고 여름이 왔다. 여름이 되어도 걸을 수 없을 만큼 큰 일은 일어나지 않았다. 여름 새벽 동네 저수지의 새벽은 한 없이 아름다웠다. 여름은 낮이 길어서 좋다. 근무시간에 방해받지 않고 이른 새벽 충분히 맨발로 걸을 수 있었다. 새벽 4시면 일어나서 저수지가 함께 있는 동네 공원으로 나갔다. 새벽의 어스름, 여름이지만 새벽 시간은 자연상태로 시원하다. 에어컨의 힘을 빌리지 않는 그 시원함이 좋아서 새벽이면 맨발로 걸었다. 곧 사방이 밝아오고 가로등이 꺼지는 순간, 맨발로 걷고 있는 것은 말로 표현할 수 없이 행복했다. 그렇게 여름을 보내고 가을이 찾아오면 이슬을 자주 만난다. 저수지에서 솟아나는 물안개를 만나는 것도 그때쯤이다. 여름과 가을 사이에만 느낄 수 있는 살갗에 닿는 바람의 느낌이 있다. 가을비 한 번으로 겨울이 훅훅 다가오고 새벽이면 무서리 내리는 풍경을 만난다. 새벽, 싸아한 공기, 두 발을 서리 내린 땅에 내려놓는 그 차가움은 또 다른 깨달음을 준다.

봄, 여름, 가을, 겨울의 맨발걷기는 머리로 알고 있는 것이 진짜가 아님을 알려주었다. 책으로만 배운 것은 내 것이 아님을 알려주었다. 온몸으로 느낀 흙의 느낌, 바람의 느낌과 해와 달의 움직임, 숱한 별들의 아름다움이 모두 만나 맨발걷기가 된다. 그냥 작정하고 맨발로 맨땅만 열심히 걷는 맨발걷기를 하지 않았다. 아니, 할 수가 없다. 자연은 한 번도 같은 모습이 아니기 때문이다. 건축가 유홍준의 말이 생각난다. 인간은 변화하는 것을 느끼고 싶어하는데 그래서 우리 조상들은 마당을, 정원을 가꾸며 살았는데 아파트에 갇혀 사니까 변화하는 자연을 볼 수 없어서 화면이 움직이는 텔레비전을 본다고 했다. 맨발걷기로 충분히 자연을 만나고 돌아오면 텔레비전 보는 것이 시들해진다.

맨발로 걷는 많은 사람들이 겨울 맨발걷기를 두려워한다. 봄, 여름, 가을 잘 걷다가 11월이 지나면서 서리가 내리고 날씨가 추워지면 맨발걷기를 잠시 중단한다. 도전해보지 않고 발이 시릴 것을 먼저 걱정한다. 남들이 맨발걷기를 잠시 멈출 시기에 나는 맨발걷기를 시작했고 그때만 해도 대중들에게 잘 알려져 있지 않아 맨발걷기 관련 정보도 많지 않던 시절이었다. 한창 맨발걷기에 재미를 들일 때여서 첫 번째 겨울 맨발걷기를 두려워할 새도 없이 보냈다. 그러다 나니 슬슬 여름 맨발걷기가 걱정이었다. 내가 가진 정보나 신념은 이렇게 나 중심적이었다. 내 경험에 비추어 정보를 해석하다 보니 남들이 다 두려워 하는 겨울 맨발걷기는 걱정 없이 시작했던 내가 오히려 여름 맨발걷기를 걱정하다니 돌아보니 참 우습다. 겨울 맨발걷기를 걱정하고 계시는 분들이 이 글을 읽으면 누군가는 여름 맨발걷기를 걱정할 수도 있구나 여기며 겨울 맨발걷기에 쉽게 도전해 보았으면 좋겠다.

겨울 맨발걷기로 탈모가 치유되다

교사 김성미, 맨발걷기 5년차

2016년, 추석을 준비하며 시댁에서 전을 굽고 있는 내 머리를 위에서 지켜보던 아들이 외쳤다.

"엄마, 머리에 구멍이 났어!"

별 대수롭지 않게 넘기면서 전을 마저 구웠다. 다음 날 친정에서 놀고 있는데 내가 걱정이 되었던 아들이 내 머리를 보더니 다시 한번 놀라며 외쳤다

"엄마, 어제보다 더 많이 빠졌어!"

그제야 거울을 가져다 들여다보았다.

오백 원 동전 크기만큼이나 빈자리가 보였다. 식구들의 걱정을 안고 대구로 올라와 다음 날 병원에 갔다. 의사 선생님께서 머리에 주사를 놓아주시며 일주일 뒤에 오라고

하셨다. 일주일 뒤 간 병원에서 여기서는 안 되겠으니 큰 병원으로 가보란다. 이렇게 시작된 원형탈모는 약을 먹었지만 머리카락 전체가 다 빠지고 나서야 멈췄다.

하지만 희망은 있었다. 병원 대기실에서 걱정 어린 마음으로 눈물을 글썽이는 내게 다가와 말을 걸어준 환자가 있었기 때문이다. 나보다 먼저 전두 원형탈모가 왔고 치료를 받았더니 비록 머리가 다 빠지긴 했지만 다시 신생아처럼 머리가 나고 있다고, 근처에 앉아 있는 분을 가리키며 "저분도 머리가 다 빠졌었는데 머리가 많이 자랐어요"라고 말해주었다.

의사 선생님이 시키는 대로 약도 꼬박꼬박 잘 먹고 가발을 쓴 채 탁구장도 열심히 다녔다. 남의 속도 모르고 날씨가 더운데 왜 모자를 쓰고 운동하느냐며 나를 이상하게 보던 분도 계셨지만 점점 자라고 있던 머리카락 덕분에 가볍게 웃어드릴 수 있었다.

약을 먹은 지 15개월쯤 지난 2018년 1월, 나는 몸무게가 15kg나 늘어났다. 다행인 것은 머리카락 굵기가 많이 굵어졌으니 이제는 약을 안 먹어도 될 것 같다는 진단을 받았다. '감사합니다.' 마음이 너무 들떴다. 그러나 기쁨도 잠시 약을 끊은 지 4개월쯤 되던 어느 날 탈모가 다시 재발했다. 머리카락이 나도 약을 끊으면 다시 재발할 수 있다는 점과 그때마다 약을 먹으면서 살도 함께 진다고 생각하니 눈앞이 캄캄했다. 재미있던 탁구가 치기 싫어지고 가발 위에 눌러쓴 모자가 너무 답답하게 느껴졌다.

그즈음 지푸라기라도 잡는 심정으로 최순나 선생님께 전화를 드렸다. 교사 공부 공동체에서 만난 인연으로 알고 지내던 선생님인데 3년째 맨발걷기를 하고 계셨다. 혹시나 하는 마음으로 전화를 드렸는데 이것저것 알려주시면서 마침 잘 되었다고 집 근처 초등학교 운동장으로 나가 보라고 하셨다.

어두워져서 사람의 형태만 보이는 학교 운동장으로 갔다. 아무도 없길래 조심스럽게 모자와 가발을 벗었다. 신발을 벗어두고 무작정 맨발로 운동장을 걸었다. 그때 운동장 입구 쪽에서 무리의 사람들이 걸어오는 게 보였다. 맨발걷기 정기 모임 후 저녁을 먹고 2차 맨발걷기를 하기 위해 오신 권택환 맨발학교 교장선생님과 그 일행이었다.

내 자초지종 사연을 들으시고 내 머리를 보시더니 열심히 맨발걷기 해보라고, 겨울에 걸으면 효과가 훨씬 더 좋다고 응원해 주셨다. 무언가 할 수 있어서 좋았다. 바쁜 일정을 쪼개어 매일 맨발로 걷기 시작한 지 일주일째, 자고 나면 베개 위에 수북이 빠져 있던 머리카락이 별로 보이지 않았다. 희망이 보였다. 차가운 겨울비가 와도 걸었다. 날씨가 점점 추워졌지만 권택환 교장선생님의 말씀을 믿고 꼬박꼬박 걸으러 나갔다. 12월의 밤 9시 경북고등학교 운동장을 걷기 위해 언 땅에 발을 디뎠다.

'살을 에는 고통이 이런 거구나.'

평소 혈액순환이 잘 되지 않아 겨울이면 갈라지던 발 뒤꿈치가 까슬까슬해지고 피가 났다. 하지만 멈추지 않았다. 반창고를 바르고 걸었다. 내가 걷기를 멈출 수 없었던 이유는 약을 끊었는데도 머리카락이 더 이상 빠지지 않았기 때문이었다. 하루도 쉬지 않고 걸으면서 겨울을 보냈다. 방학을 마치고 까까머리를 한 채 학교를 갔다. 선생님들도 학생들도 처음에는 놀랐지만 매일 자라는 내 머리카락을 보고 응원을 해 주었다.

봄이 왔다. 처음으로 맨발학교 정기 모임에 참석했다. 맨발걷기 100일 상장을 받는 날이었다. 탈모가 개선되었다는 선생님이 오셨다는데 아무리 둘러봐도 안보였다면서 처음에는 나를 못 알아보시던 권택환교장선생님은 나를 알아보시고 나보다 더 기뻐해 주셨다. 겨울이 시작할 때 시작해서 겨울 내내 하루도 빠지지 않고 걸은 100일은 1000일 같은 100일이라고 말씀해 주셨다.

'나 자신을 지극히 사랑하여 눈이 오나 비가 오나 흙길 맨발걷기 100일을 완수하였으며 그 백일 간의 노력으로 스스로에게 감동받아…' 맨발걷기 100일 상장을 읽어나가는 내내 눈물이 흘러내렸다. 물론 기쁨의 눈물이다.

2023년 10월, 맨발걷기 하러 나가기 전 이 글을 쓴다. 지난해 3월, 오백 원 동전 크기의 원형탈모가 다시 생겼다. 코로나19로 늘어난 업무 스트레스와 함께 머리카락도 어느 정도 자랐다는 핑계로 겨울 맨발걷기를 한 달 반 정도 쉬었더니 탈모가 온 것이었다. 하지만 이번에는 별로 걱정을 하지 않았다. 늘 가까이에서 나를 치료해 주는 주치의 땅이 있으니까 안심이 된다.

맨발걷기를 하면서 사실 탈모만 해결된 게 아니었다. 내 몸에는 많은 변화가 있었다. 겨울이면 수족냉증으로 손발이 너무 차가웠었는데 많이 나았고 지금은 나를 닮아 손

발이 찬 아들에게도 맨발로 걸으면 해결된다고 맨발걷기를 권하고 있다. 겨울에도 뒤꿈치가 더 이상 갈라지지 않는 데다 여름이면 어김없이 찾아오던 무좀도 이제는 거의 사라졌다. 게다가 이를 닦을 때마다 나던 잇몸에 피도 이제는 나지 않는다. 4~5일에 한 번 정도 화장실을 갈 정도로 변비가 심했는데 많이 나아졌다. 지금도 일이 늦게 끝나 피곤할 때가 많지만 땅에 발을 딛는 순간 큰 충전기인 지구로부터 에너지를 듬뿍 충전받는다.

다시 겨울을 기다리는 가을이다. 맨발걷기로 건강을 찾은 사람들의 이야기가 공중파 방송을 타면서 사람들의 관심이 뜨겁다. 주말 낮에는 율하체육공원의 그 큰 맨발걷기 길이 줄을 서서 걸을 정도다. 하지만 날씨가 추워지면 하나 둘 사람들 수가 줄어들 것을 안다.

그분들께 말씀드리고 싶다.

"겨울 맨발걷기 꼭 하세요. 효과가 평소보다 10배랍니다. 겨울에만 할 수 있어요. 이번 겨울이 기회예요. 놓치지 마세요."

맨발로 겨울을 걸어나가리라

교사 김영희, 맨발걷기 5년 차

2019년 1월, 대구교육대학교에서 맨발걷기 연수가 있었다. 권택환 맨발학교 교장선생님의 감동적인 특강에 이어 이틀 동안 맨발걷기 후 학생들의 변화된 모습에 대한 맨발걷기 교육 강의와 몸 상태가 좋아진 여러 가지 사례들을 들으면서 강의 듣는 내내 감탄 연발이었다. 맨발걷기를 몸소 실천하신 강사님들의 혈색 좋은 얼굴빛과 목소리에서 느껴지는 자신감이 돋보였다. 맨발걷기의 산증인이 강의를 하시니 더 신뢰가 갔다. '맨발걷기가 이렇게 좋은 거구나' 가슴에 꽂히듯 다가왔다. 흙에서 그토록 유익한 박테리아가 살고 있어 흙을 밟는 것만으로도 내가 나를 치유하는 자연치유력이 길러진다고 했다. 몸속의 정전기가 맨발 걷는 동안 다 빠져나간다는 맨발걷기의 장점에 대해 알고 나서 '이까짓 추위쯤이야. 어서 맨발로 걸어보세'가 마음속에 꿈틀거리기 시작했다. 3일간의 연수 일정 마지막 날 맨발걷기 체험 수업이 있었다. 범어산에서 맨발연수를 신청한 40여 명과 함께 맨발걷기를 했다. 그렇게 나는 겨울 첫 맨발걷기를 체험했다. 집단의 힘은 강했다. 나 혼자가 아니고 연수를 들은 40여 명이 일제히 신발과 양말을 벗고 범어산 한 자락을 맨발로 걸었다. 그날의 일은 이렇게 나의 일기에 저장되어 있다.

'추운 겨울에 양말을 홀라당 벗고 처음 걸었다. 발이 엄청 시릴 거라 생각했는데 생각보다 춥지 않아서 놀라웠다. 사람들과 우르르르 하니 남의 시선에 신경 쓸 것도 없었다. 잠을 어떻게 잤는지 모르게 깊이 잠들었다.'

그즈음이다. 지금은 저 하늘 어딘가 훨훨 날 듯이 걷고 계실 96살 우리 할아버지께서 병원에 누워계실 때 오고 갔던 대화다.

"할아버지, 지금 뭐가 제일 하고 싶으세요?"

"그저 훨훨 날듯이 걸어보고 싶구나. 이래 거동도 못하고 누워만 있으니 이거는 산 것도 아니고 죽은 것도 아니구나."

내 걸음 옮겨 어디라도 갈 수 있다면 이것 또한 살아있음의 축복이구나 싶은 마음이 그 겨울 시작한 맨발걷기의 의지를 불타오르게 했었다. 1월 14일을 기점으로 맨발걷기 100일 달성을 위해 낮이고 밤이고 걸었다. 비가 오나 눈이 오나 빠짐없이 걸었다.

한겨울을 통과하면서 맨발걷기를 하고 있었으니 눈 만나기도 예사다. 옷을 최대한 따뜻하게 입고 내 몸의 온기가 빠져나갈 어떠한 틈도 주지 않았다. 모자와 장갑은 겨울 맨발걷기에서 필수다. 발목까지 덮는 두툼한 파카를 입고 겨울 맨발을 했었다. 그렇게 무장했지만 한겨울의 맨발은 발이 새빨갛게 동상이라도 걸린 것처럼 생색을 냈다. 생 얼음판 위를 걸어도 이 느낌일까? 따끔따끔 아프기까지 했다. 엄마가 운동장에서 맨발걷기를 하니 안 그래도 신발 벗고 놀이터에서 놀기 좋아하는 늦둥이 다섯 살 호룬이도 맨발걷기에 기꺼이 동참했다. 한정 없이 보드라운 저 5살 어린아이도 겨울 맨발걷기 해도 아무 이상 없는데 나라고 어디 못할까 싶은 마음에 '아이고 추워라' 하는 마음이 올라올 때마다 보기 좋게 눌러 버리고 무작정 걸었다. 한 생각 바꾸니 하얀 눈이 소복소복 쌓인 눈길이었건만 폭신폭신 목화솜 깔린 길 걷듯 사뿐한 마음으로 도전할 수 있었다. 그렇게 맨발걷기 100일 상을 받고 그해는 온전히 맨발로 걸었다. 다시 돌아온 그다음 해 겨울의 맨발걷기는 의지부족으로 날마다 하지 못했다. 사람 마음이라는 게 참 간사하다는 것을 익히 알고 있었지만 혼자 겨울 맨발걷기를 걷는 날에는 어김없이 올라오는 부정적인 생각으로 걷기를 포기한 날이 많았다.

'안 그래도 폐도 안 좋은데, 폐에는 차가운 기운이 쥐약이라던데...' 걱정에 걱정을 문 생각들이 겨울 맨발걷기를 하면 안 되는 구차한 핑계를 늘어놓기 시작했다. 핑계도 하나 둘 늘어나니 핑계들이 다시 핑계들을 만들어 맨발걷기를 더 어렵게 만들었다. 그러다가 다시 겨울 맨발걷기에 홀로 나선 날은 2020년 11월, 겨울 초입이었다.

바빠서 아플 겨를도 없을 정도로 입에 바쁘다를 달고 다니던 어느 날이었다. 건강검진을 한 병원에서 연락이 왔다. 건강검진결과를 우편으로 받아보는 것이 통상적인데 병원으로 직접 오라는 말에 뭔가 가벼운 것은 아니겠구나 직감했다. 두려운 마음에 찾은 병원에서 날 보고 위암이라고 했다. 내 병을 발견한 의사 선생님이 암 중에서도 예후가 좋지 않으니 어서 상급병원으로 가라는 진단서를 끊어주었다. 뒤도 돌아보지 않고 내달렸던 시간들이 그제야 다 멈추었다.

직장에 다니는 내가 평일 대낮에 홀로 산책하는 건 상상도 못 했었다. 상상 못 했던 일들이 암 진단으로 쉽게 가능하게 되었다. 싱겁게 웃음이 나왔다. 영남대학교 솔밭길로 내 발걸음을 옮겼다.

떨어지기 싫은 듯 애써 나뭇가지에 걸려있던 단풍나무의 마지막 잎새가 서늘한 겨울바람에 힘겹게 버티고 있었다. 바람마저도 서늘한데 비까지 내리기 시작했다. 고개를 들어 하늘을 바라보았다. 수많은 빗방울들이 부서지듯 대지 위로 떨어졌다. 떨어지는 빗방울, 그 어느 하나 거부하지 않고 모두 다 받아들이는 저 대지의 자비로움에 나도 안기고 싶었다. 맨발로 나를 맡겼다. 비까지 동반한 겨울바람에 발이 새빨갛게 춥다는 신호를 보내왔다. 큰 산을 넘고 있는 사람은 작은 산 넘어가는 건 일도 아니다. 암이라는 진단 앞에 겨우 볼그레하게 변한 발 색깔즈음이야 아무렇지도 않았다. 무시했다. 내 안의 나와 오랫동안 이야기를 나누었다. 모든 것이 다 내 마음이구나. 내 마음이 만들어낸 일이었구나. 춥다, 춥다 생각하면 더 추워지고, 괜찮다, 괜찮다, 생각하면 실로 괜찮은 거다. 내가 아프다, 아프다 하면 진짜 아프게 되는 이치와 같다. 그렇게 나를 토닥이며 나는 괜찮을 거야를 수 없이 되뇌었다.

'그럼 괜찮고 말고'. 대지의 자비로운 속삭임이 발끝으로 전해져 와 내 심장에까지 포근하게 안아주었다. 나에게 토닥토닥 위로를 건네주었던 겨울 맨발걷기였다.

받아들이고 나니 한결 마음이 편안해졌다. 그 마음으로 수술을 받았고 경과도 좋았다. 많이 회복되어 복직을 했고 다시 바쁜 일상으로 돌아왔다. 그 겨울의 맨발걷기는 나에게 따뜻함으로 기억된다. 그러고 나서 겨울을 두 번 더 만났지만 겨울 맨발걷기를 매일 하지는 못했다. 살다 보면 속에 불이 활활 날 때가 있다. 그런 날은 어김없이 꽁꽁 얼어붙은 겨울 산길도 마다하지 않고 맨발걷기에 나선다. 발끝으로 전해져 오는 차가움은 어쩔 줄 몰라 날뛰는 내 감정을 냉정하게 평정시켜 주었고 내 마음을 더 단단하게 다져주었다. 그 겨울 자연의 품 안에서 나를 위로했던 맨발걷기의 감동이 다시 떠오를 때면 나는 또 그렇게 맨발로 겨울을 걸으리라. 내 삶이 다하는 날까지.

겨울 맨발걷기의 매혹

시인 박진형, 맨발걷기 7년차

1

　사람은 보이지 않는 인연에 얽혀서 살아간다. 그게 연기 (緣起)이다. 나는 2017년 7월 4일, 권택환 교장의 책『맨발학교』원고를 받아 들고, 저절로 무릎을 탁 쳤다. 아, 이 것이구나. 너무나 오래 잊고 있었던 기억이 되살아 났다. 맨발이야말로 내 몸이 자연에 가깝게 갈 수 있겠구나 직감하였다.

　다음날 새벽, 송현동 1차 그린맨션 산책로의 흙길 위에 처음으로 맨발을 올려놓았다. 순간, 알 수 없는 쾌감이 밀려왔다. 어린 날, 흙 위에서 맨발로 놀던 기억이 되살아났다. 맨발로 숨바꼭질과 땅따먹기를 하고, 공을 차면서 놀았던 그 흙, 회갑을 넘겨서야 잊어버렸던 흙을 다시 만나는 기쁨을 느꼈다. 그리하여 나는 맨땅에 몰입하기 시작하였다. 아내도 하루 늦게 동행하였다. 정확하게 말하자면

아내는 나보다 더 열심인 맨발예찬론자이다. 적어도 하루에 2시간은 흙 위에서 산다.

맨발로 처음 걸은 날 시 「맨발학교」를 썼다. 전문은 다음과 같다.

송현동 그린맨션 숲동산

벚나무 은행나무 메타세쿼이아 느티나무

아름드리 숲 아래 맨발학교에

새로 입학했어요

회갑 넘긴 늙은 발이

금세

뽀송뽀송해졌어요

참새는 짹

비둘기는 구구

저만치 까치도 반갑다고

깍깍깍

여든 넘은 할아버지가

꼿꼿하게 맨발로 걸어가요

맨발학교에는

졸업생이 없나 봐요

그리구 그리구 말이에요

내일 새벽 희붐해지면

우리 맨발로 만나요, 안녕

2

어느새 겨울이 다가온다. 맨발학교에 입학하고 올해로 일곱 번째 맞이하는 겨울이다. 11월 중순경 대구의 날씨가 급강하하면 땅이 차갑다. 애써 추위를 견디며 맨발을 하고 찬물에 발을 씻는 순간 온몸이 짜릿하다. 이때의 쾌감은 몸이 먼저 알아차린다. 아, 매혹적인 겨울 맨발이 본격적으로 시작되는구나.

맨발을 시작하고 첫겨울을 맞은 2018년 1월, 태백 정암사로 정초 기도에 동참하였다. 관광버스를 타고 강원도로 접어들자 산과 들판에 하얗게 눈 천지였다. 정암사 수마노탑 아래 적멸보궁 앞에는 무릎까지 눈이 쌓여 있었다. 일행들이 적멸보궁에서 기도를 올리는 동안 나는 법당을 살금 빠져나와 적멸보궁 앞마당에서 맨발을 시작하였다. 겨울 햇살이 따스하나 바람은 매서웠다. 온몸이 얼얼하고, 또한 짜릿하였다. 아, 이것이 강원도 겨울 맛이라니. 한 10분 정도 맨발을 하자 몸이 조금씩 적응되었다. 맨발 하는 사이 잠시 양지쪽으로 나와 발을 녹였다. 40분 정도 맨발을 하고 나니 온몸이 얼얼하였다.

문득 권택환 교장 선생님의 말씀대로 아무 생각이 없었다. 오직 내 발이 얼어터져 죽을 지경인데 부처님을 생각할 겨를조차 없었다. 겨울 맨발은 컴퓨터 화면에 잡다하게 띄워놓은 폴더를 지우듯이, 세상 살아가면서 복잡다단한 생각들로 채워진 머리를 말끔하게 청소하는 역할을 한다고 했던가. 정암사 적멸보궁 앞에서의 맨발걷기는 나에게 겨울 맨발의 진수를 보여주었다. 그러므로 겨울 맨발은 매혹적이다.

3

나의 후반생을 맨발걷기로 힐링하면서 다독이고 있다. 그간 고혈압과 고지혈증, 당뇨 등은 대체로 정상치로 돌아왔고, 내 몸도 3년 전쯤으로 되돌아간 듯하다. 그간 여기저기 맨발길을 무던히도 찾아다녔다. 봉무동 단산지, 동촌

벚꽃길, 팔공산 산길, 대구수목원, 앞산 자트락길, 송해공원, 달성습지, 학산공원 등 대구 근교뿐만 아니라, 대전 계족산, 문경새재, 기장 아홉산 대나무길, 담양 메타세쿼이아길, 죽녹원 대나무 숲길, 경주 황성공원, 가산수피아 황톳길 등 맨발 명소를 두루 찾아다녔다.

그러나 앉은자리가 꽃자리라고 했던가. 나의 맨발걷기 꽃자리는 송현동산이다. 40년이 넘은 아파트 앞 산책길에는 백 그루의 아름드리나무가 서 있다. 그 숲 아래 맨발로 걸어가는 것은 깊은 산속을 걷는 것과 다름이 없다. 언제나 손쉽게 즐길 수 있는 곳이 꽃자리이다.

내가 사는 아파트 5층에서 내려가면 2분, 맨발걷기를 마치고 찬물에 발 씻고 집에 올라오면 3분, 이보다 더 좋은 꽃자리가 있겠는가. 나는 송현동산 맨발길을 다듬고 있다. 하루가 멀다 하고 마당을 쓸고, 수시로 돌멩이와 나무 뿌리, 녹슨 못과 유리 파편을 줍는다. 목마른 사람이 샘을 팔 수밖에……. 자기 집 꽃밭에 잠시 눈길을 주지 않으면 어느새 잡풀이 무성한 묵정밭이 되고 만다. 육 년 정도 맨발길을 다듬다 보니 이제 어디 내어놓아도 안전한 맨발길이 되었다.

깊어가는 가을 아침, 희붐한 새벽에 맨발길에 나섰다. 간밤 바람이 흩어놓은 나뭇잎이 아무렇게나 수선스럽게 뒹굴고 있다. 몽당 대빗자루를 들고 쓸었다. 마른 먼지가 바람결에 자욱하다. 그러나 어쩌랴. 시 <새벽길>을 얻다.

희붐한 새벽
맨발길에 나가
어지러운 꿈자리
몽당 빗자루로
말끔 쓸고나니
아침 밥값 했다

맨발학교에 입학한 지 2,400일을 넘기고 있다. 맨발학교에서 1000일 배지에 이어 2000일 기념 배지도 받았다. 무엇보다 이천일을 넘기고 나서 건강 염려증이 없어졌다. 내일은 어떻게 되겠지, 정기적금 들 듯 맨발로 건강을 저축하고 있다. 죽는 날까지 나에게 허락된 맨발걷기를 하리라.

나는 오늘도 맨발학교의 모토인 홍익 맨발을 묵묵히 실

천하고자 한다. 손에 손잡고 두루두루 많은 사람들이 맨발 걷기에 동참하여 더불어 걸어가고 싶다.

오늘도 맨발걷기의 마지막은 틱낫한 스님의 걷기 명상을 생각하며 들숨에 한 걸음, 날숨에 두 걸음 마음 챙김을 실천하였다. 맨발걷기의 궁극은 자기에게 돌아오는 일이다. 틱낫한 스님은 "나는 도착했습니다. 나의 숨으로 돌아왔다면 지금 이 순간으로, 나의 본래의 고향으로 돌아온 것입니다."라고 즐겨 말한다. 이것이 걷기 명상의 핵심이다. 맨발걷기는 결국 자신으로 돌아오는 명상수련이라고 할 수 있겠다.

이 책을 내보내며

얼음 어는 강물이 무섭지 않니?

동동동 떠다니는 물오리들아

얼음장 위에서도 맨발로 노는

아장아장 물오리 귀여운 새야

나도 이젠 찬바람 무섭지 않다

오리들아 이 강에서 같이 살자

몇 년 전 어느 겨울날 초등학교에 방문하여 처음 들은

1학년 교과서에 나오는 「겨울 물오리」 노랫말이다.

아이들의 경쾌한 목소리와 씩씩함을

잘 표현한 멜로디가 내 맘에 쏙 들었다.

얼음장 위에서도 맨발로 놀면서

찬바람 따위는 무서워하지 않고

자연에 기대어 살아가는 오리처럼

그렇게 나도 자연에 기대어 살아가고 싶다.

내 안의 자연치유력을 믿고
내 몸을 온전히 사랑하며 사는 것
단순한 맨발걷기 하나로 내 안의 꽃을 피우는 것
나 하나 꽃이 되어 우리가 머무는 이곳을 아름답게 하는 것
첫눈이 흰 꽃으로 피어난 들판에
겨울 햇살이 비추어 반짝반짝 빛나는 날
『겨울 맨발걷기』 원고를 세상으로 보낸다.

2023년 첫눈이 내린 날